漢湘文化

閱讀新視界 · 生活新主張

漢湘文化

閱讀新視界 · 生活新主張

漢湘文化
閱讀新視界 · 生活新主張

漢湘文化
閱讀新視界・生活新主張

歷史經典七

唐浩明 著

曾國藩黑雨

卷(一)

出版者序

「曾國藩」一書分血祭、野焚、黑雨三卷，是一部百餘萬字的長篇歷史小說。作者唐浩明先生研究清史十餘年，蒐集的資料堆滿家中書房，對曾國藩及太平天國歷史的考究尤爲深刻。作者以輕鬆的筆調，用小說的方式撰寫此書，內容符合史實，其中人物的刻畫與描寫，生動而傳神，充分發揮了作者的文學才華與史學功力。

此書以曾國藩爲主軸，寫他治軍行事的用人方針，也寫他的處世哲學與人生觀，以清末衆多的歷史人物如朝中大臣——如胡林翼、左宗棠、李鴻章……等爲軸，交織此一長篇鉅著，書中情節的發展，絲絲入扣，能吸引讀者不斷產生興趣，愛不釋卷。

曾國藩是影響清末歷史的一位重要人物，他創造湘軍，以捍衞孔孟名教爲號召，弭平洪揚。其立身行事，爲後代諸多知名人氏所推崇。但作者也藉書中人物表達了歷年來人們的另一種觀點：曾國藩平定太平天國後，囿於忠君敬上，保全已身之小節，自剪羽翼，裁撤二十萬湘軍，無視滿清腐敗、生靈塗炭、救國救民之大義，辜負億萬百姓期望驅除羶腥，恢復神州之熱望，徒讓史冊留下一樁憾事。當然，對歷史的評價，有見仁見智之看法，端視讀者從何種角度去研判！或許當讀者閱覽此書時，對書中之主角會有不同之評論。

此書在大陸出版時，曾造成搶購熱潮，本公司取得台灣版權後，以繁體字印行，也引起熱烈回響。今再版出書，又經細校，期望達到無錯字的地步，或仍有疏漏，尚祈讀者不吝指正。

胡明威

曾國藩血祭、野焚、黑雨簡介

曾國藩是中國近代史上有巨大影響的人物。從李鴻章、張之洞到袁世凱、蔣介石，無不對其頂禮膜拜，尊爲「聖哲」；從梁啓超、陳獨秀，到毛澤東，也無不表示推崇師法，毛澤東甚至說：「愚於近人，獨服曾文正，觀其收拾洪楊一役，完滿無缺。使以今人易其位，其能如彼之完滿乎？」簡直推崇備至。

本書是長篇歷史小說，作者唐浩明爲著名的曾國藩研究者，佔有大量珍貴歷史資料，並在史實的基礎上，對事件描述、情節細部作了恰當的虛構，使曾國藩這個長期被當代歷史忽略的重要人物，重現在讀者面前。

本書既寫曾國藩的文韜武略，也寫他的待人處世與生活態度。曾國藩制勝的兵法、治軍行政的方針，他獨特的人生觀、處世哲學，他的文化素養和人格品味等等，都在書中得到精采的體現。

本書氣魄恢宏，人物衆多，歷史事件交錯，既有金戈鐵馬浴血之戰，也有坐而論道的儒雅，既寫他的困厄與成功，也寫他的得寵與失寵，細節豐富，情景感人。

歷史小說難得，好的歷史小說更難得，好的長篇歷史小說更難得，讀畢此書，當有得益。

目錄

〈卷一〉

第三章 三辭江督

〈卷二〉

第四章　名毀津門

第一章　裁撤湘軍

一　養心殿後閣裏的叔嫂密謀

跟往常一樣，三十歲的慈禧太后寅初時分就醒過來了。離天亮還有一個多時辰，這是她一天中最難度過的時刻。她通常是閉著眼睛，安臥在重帳迭幃遮掩的龍床上，在細軟柔和的綉龍描鳳的墊被和蓋被之中，無邊無際、無拘無束地胡思亂想。想得最多的，是她與咸豐帝恩恩愛愛的甜蜜歲月。

憑著絕代的美艷和絕頂的機敏，在小皇帝誕生前後的幾年裏，年輕的風流天子將對後宮的三千寵愛集於她一身。那個時候，她是普天之下最幸福的女人。可惜好景不長。後來咸豐帝把愛轉了向，被四個有名的漢人美女：杏花春、武林春、牡丹春、海棠春纏得緊緊的。她遭到了冷落。但是，她有一個包括皇后在內，所有受到皇帝寵愛的女人所沒有具備的優勢，那就是，皇上唯一的兒子乃她所生。在咸豐帝身患重病，又不再專寵她一人的時候，她甚至暗暗地希望皇帝早日死去。不然的話，不知那一天，哪個妃子的肚子裏又拱出一個皇子來，皇上一時被她迷惑，把江山從自己兒子的手中輕易地拿走，送給了他人。因而，當三年前，咸豐帝駕崩的時候，她表面上也悲痛欲絕，心裏却暗暗得意：從此以後，這江山便是屬於自己兒子的了，再不要擔心別人來爭奪。

但是，兒子繼承的却是一片動蕩的破碎江山。皇宮內雖無人來爭奪，但江南的長毛造反已達十年之久。在江寧，分明有一個太平天國，要與大清王朝分庭抗禮；有一個天王，要與自己的兒子平起平坐。她決不能容忍這種狀況的存在。儘管她從小便從父親那兒接受了漢人不可相信的家教，但時至今日，她不得不聽從恭親王奕訢的勸告，重用曾國藩和他的湘軍。她要利用漢人來打漢人，要利用漢人來保衞、鞏固兒子的江山。提心吊膽的日子終於過去了。三個多月前，當六百里紅旗捷報從江寧送到紫禁城的時候，她興奮得熱淚直流，聲音哽咽，緊緊抱著九歲的小皇帝，連連呼喚著愛子的乳名……。

兒子的江山保住了，她的聖母皇太后的地位也保住了。雖然如此，作爲一個年輕的女人，沒有丈夫的歲月畢竟是孤苦的，尤其是在這個一日將至的淸晨，人間所有的夫妻都在鴛鴦被中擁抱的時候，她却一人孤零零地躺著。她最怕這時醒過來，但偏偏每天這時她又都要醒過來。回憶以往的甜蜜日子，能夠暫時給她以溫馨，但很快，寡婦的煩惱鬱悶便會占著上風。她想起這一輩子就要永遠這樣孤孤單單地生活下去的時候，龍鳳綉被所象徵的至高無上的地位權力，便再也不能塡補她內心深處的寂寞空虛。每當這時，她甚至後悔當初不該費盡心思去招惹皇上的注意，去討得他的歡心。

咸豐元年冬天，初登皇位的咸豐帝向全國下達選秀女的詔命：凡四品以上滿蒙文武官員家中十五歲至十八歲之間的女孩子，全部入京候選。慈禧太后那拉氏那年十七歲，父親惠征官居安徽皖南道員，正四品銜，各方面都在條件之內，家裏只得打點行裝，準備送她進京。正在這時，惠征得急病死了。那拉氏上無兄長，下無弟弟，僅只有一個十三歲的妹妹，寡婦孤女哭得死去活來。當時官場的習俗是，太太死了，吊喪的壓斷街；老爺死了，無人理睬。惠征居官還算清廉，家中並無多少積蓄，徽州城又無親戚好友，一切都要靠太太出面，四處花錢張羅。待到把靈柩搬到回京的船上時，身上的銀子已所剩無幾了。

這天傍晚，靈舟停在江蘇清江浦。正當暮冬，寒風怒號，江面冷清至極。舟中那拉氏母女三人眼看家道如此不幸，瞻視前途，更加艱難，遂一齊撫棺痛哭。淒慘的哭聲在寒夜江面上傳播開去，遠遠近近的人聽了無不惘惻。突然，一個穿著整齊的男子站在岸上，對著靈舟高喊：「這是運靈柩去京師的船嗎？」

「是的。」船老大忙答話。

那人踏過跳板，對著身穿重孝的惠征太太鞠了一躬，說：「我家老爺是你家過世老爺的故人，今夜因有要客在府上，不能親來吊唁，特爲打發我送賻銀三百兩，以表故人之情，並請太太節哀。」

從徽州到清江浦，沿途一千多里無任何人過問，不料在此遇到這樣一個古道熱腸的好人，惠征太太感激得不知如何答謝才是，忙拖過兩個女兒，說：「跪下，給這位大爺磕頭！」

那拉氏姊妹正要下跪，那人趕緊先彎腰，連聲說：「不敢當，不敢當！我這就回去覆命，請太太給我一張收據。」

惠征太太這時才想起，還不知丈夫生前的這個仗義之友是個什麼人哩，遂問：「請問貴府老爺尊姓大名，官居何職？」

那人答：「我家老爺姓吳名棠字仲宣，現官居兩淮鹽運使司山陽分司運判。」

惠征太太心裏納悶：從沒有聽見丈夫說起過這個人。她一邊道謝，一邊提筆寫字：「謹收吳老爺賻銀三百兩。大恩大德，容日後報答。惠征遺孀叩謝。」

那人收下字據回府覆命。吳棠一見字據，大怒道：「混帳東西，這賻銀是送到殷老爺家裏的，怎麼冒出一個惠征來了！這惠征是誰？」

聽差慌了：「老爺不是說送到運靈柩去京師的那隻船嗎？我聽到哭聲，又問是不是到京師去，說是的，我就送去了，她們也收了。」

吳棠冷笑道：「好個糊塗的東西，天下哪有不愛銀子的人！你送他三百兩白花花的銀子，她還會不收嗎？你問過她的姓沒有？」

聽差辯道：「小人想，世上哪有這等湊巧的事，都死了人，都運到京師，又都在這時停在清江浦。所以小人想，這不要問的，必定是殷家無疑。」

吳棠發火了，拍著桌子嚷道：「你這個沒用的傢伙，還敢這樣狡辯？你趕快到江邊去，把三百兩銀子追回來，再送到殷家的船上去！」

「去就是了！」聽差答應著，心裏仍不大服氣。

「慢點！」側門邊走出一個師爺來，向聽差招了招手，然後對吳棠說，「老爺，我剛從江邊來，知道些情況。」

「你說吧。」

「收到銀子的這一家是滿人，主人原是安徽的一個道員。這次進京，一是運靈柩回籍安葬，一是送女兒進宮選秀女。老爺，」師爺湊到吳棠的耳邊，小聲說，「這進宮的秀女，日後的前途誰能料定得了？倘若被皇上看中，那就是貴妃娘娘了。到那時，只怕老爺想巴結都巴結不上哩！三百兩銀子，對老爺來說算不上一回事，但對這時的寡婦孤女來說，則是一個天大的人情。既然銀子已經送了，老爺不如乾脆做個全人情，以惠征故人的身分親到船上去看望一下，爲今後預留一個地步。」

吳棠想想也有道理。三百兩銀子，對一個鹽運判來說，本也算不了什麼。於是，他帶著師爺連夜來到江邊，登上靈舟，好言勸慰惠征太太，又鼓勵那拉氏姐妹好自爲之，今後前途無量。臨走時，留下一個名刺，惠征太太一家千恩萬謝。

那拉氏把這張名刺珍藏在妝奩裏。父親死後的淒冷，給她以强烈的刺激，使她深刻地意識到權勢的重要。對著冷冰冰的運河水，她咬緊牙關，心裏暗暗發誓：此次進京候選，一定要爭取選上；進宮後，一定要想盡辦法引起皇上的注意；倘若今後發跡了，也一定要好好報答這位吳老爺。

她終於被選上了，安排在圓明園。後宮佳麗如雲，淹沒了她的美貌和才華。一年過去了，她依舊只是一個普普通通的秀女。但是，極有心計的她，也就在這一年時間裏，把皇上的脾性愛好都打聽到了。她知道，二十歲的皇帝，好熱鬧喜遊玩，尤其愛看戲聽曲子，還能夠自度新曲，是一個有文采有情致的天子。她從小跟著父親在江南長大，學到了不少優美的江南曲調，這時便常常一個人偷偷地溫習著。天生的好嗓子，又加上勤奮練習，一年過後，她的江南小曲已唱得非常好了。

這一天，咸豐帝來到圓明園遊玩。將至桐蔭深處時，忽然傳來歌聲，太監欲前去斥責，咸豐帝制止了。原來，咸豐帝生長在北京的深宮之中，平日裏聽的只是京劇、昆曲和北方的粗豪歌曲，從來沒有聽到過江南的小調。這江南小調，最是婉轉曲折，綿軟多情，又從一個十八歲的少女口中唱出，更加動聽。文采風流的青年天子一下子被吸引住了，他站在湖邊，怔怔地聽了好長一會兒。

「把唱歌的人帶到烟波致爽殿來！」咸豐帝下令。

唱歌的人被帶上來了，正是惠征的長女。咸豐帝盤坐在烟波致爽殿內西偏殿的炕上，望著圓明園裏這個地位低下的宮女，驚訝得半天做不得聲，心裏想：宮中有這樣美麗的女人，我竟然不知，眞是辜負了自己，也委屈了她。

「剛才的歌是你唱的？」看了很久之後，咸豐帝好不容易才吐出一句話來。

「回萬歲爺的話，是奴婢唱的。」回答的聲音淸淸脆脆，如同銀鈴一般。

「你再唱一曲給朕聽聽。」

優美的子夜吳歌在空曠的烟波致爽殿內響起：

春氣滿林香，春遊不可忘。落花吹欲盡，垂柳折還長。

桑女淮南曲，金鞍塞北裝。行行小垂手，日暮渭川陽。

「好，唱得好！」咸豐帝以手輕輕地擊著炕上的小几，凝視著容光煥發的宮女，他發現宮女手裏拿著一支蘭花。

「你喜歡它？」咸豐帝指著蘭花問。

「回萬歲爺的話，奴婢最喜歡蘭草蘭花。」

咸豐帝笑道：「我也不知你叫什麼名字，我就叫你蘭兒吧！」

「謝萬歲爺賜名！」

「你過來，讓我看看你的手。」

蘭兒走過去，伸出一雙十指纖纖、潤如凝脂般的手來。咸豐帝摸著這雙玉手，不覺春心蕩漾起來，對一旁侍候的太監說：「你們都出去！」

蘭兒一聽，羞得滿臉通紅，待太監剛出門，她已躺倒在皇帝的懷裏了……

慈禧不忘舊恩。垂帘聽政之始，便將吳棠擢升爲兩淮鹽運使，一年後又升爲槽運總督，最近兩廣總督出缺，她又尋思著把吳棠調升這個職位。

「有仇能報，有恩能酬，這畢竟是人生的幸事。」想到這裏，她略覺一絲寬慰。

窗紙已發白，天亮了。慈禧是一個會保養的人。她每天堅持早晚兩次散步，名曰遛圈子。早晨一次在起床之後，略爲梳洗一下就出門；傍晚一次在太陽落山之前。

「小安子，咱們出去遛遛！」待心愛的太監安得海給她洗了臉，漱了口，攏了攏頭髮後，她起身，招呼安得海陪她出門在養心殿內散步。

養心殿位於紫禁城後半部份，在西一長街的西側，它的前面是軍機處，後面是西六宮。這座宮殿建於明朝，清雍正年間又重新修繕過一次。明朝各代帝王以及清朝順治、康熙兩代皇帝的寢宮是乾清宮，到雍正皇帝時，因其父康熙帝新死，他不願再住到父親住了六十多年的乾清宮去，遂住在養心殿守父喪。孝期滿後，沒有再搬動，養心殿就成爲他的寢宮和處理政務的地方了。從那以後，各代皇帝都沿襲未改。慈禧原住在西六宮裏的儲秀宮，皇后慈安原住在東六宮裏的鍾粹宮。同治皇帝搬進養心殿後，爲便於隨時照料，與他共同治理國家的兩宮太后也搬到養心殿來居住。

養心殿爲工字形建築，前殿後殿相連，四周廊廡環抱，結構緊湊。前殿爲處理政事之所，後殿爲寢居之地。當時，小皇帝住在後殿正間，慈安住後殿東閣，慈禧住後殿西閣。因爲此，妃子們以及太監、宮女都稱慈安爲東邊的太后，稱慈禧爲西邊的太后，簡稱西太后。慈禧在安得海的陪同下，繞過碧瓦紅墻、蒼松古柏遛了兩個圈子，凌晨醒過來後的那段苦澀心情已排遣得差不多了。吃過早飯後，她重新坐到梳妝台前，開始了一天的正式裝扮。

和世間所有的女人一樣，梳妝打扮，是慈禧最感興趣的事。她有出衆的美麗，也有出衆的妝扮技巧。她的美容材料中用得最多的是花。她的枕頭裏是空的，一年四季裝滿曬乾的花朵。她認爲這些曬乾的花朵中的花蕊之氣，可以使她永保花容月貌。她要太監以新鮮紅玫瑰做胭脂，以嬌嫩的白牡丹做撲粉。她常常派梳頭太監到北京城街頭巷尾去仔細觀察婦女們的髮型，選好的梳給她看。她中意的，就作爲一種髮型定下來。每隔三天五天，她就換一種髮型。每天早上，她讓梳頭太監梳好頭後，再叫一個手脚極輕細的小太監，拿著一根兩寸來長的玉棒，像擀麵杖擀麵一樣，在她的臉上來來回回地滾動五十下。然後再敷上撲粉，擦上胭脂，戴上鑲著三百零二顆珍珠的金鳳朝冠，穿上明黃色的雲水龍袍，罩上用三千五百粒珍珠編綴而成的披肩，踏著四寸多高的花盆底綉鞋。每當她這樣裝扮妥當，一搖一擺，裊裊婷婷地走出後殿西閣門檻時，養心殿裏所有的宮女、太監，都會向她投來發自內心的讚嘆的目光。就在這一片目光中，她獲得了極大的滿足，寡婦的怨尤被驅散得一乾二淨，她以滿腔的熱情開始了一天的軍國大事的處理。

今天的梳妝，她比往日用的心思更多，花的時間更長，對侍候的太監要求更嚴，因爲今天上午她要和慈安太后一起，與兩位皇親商量一件極爲秘密的大事。這兩個人，一個是咸豐帝的親弟七爺醇郡王奕譞，一個是咸豐帝的表兄蒙古親王僧格林沁。昨天兩宮太后計議這件事時，不知出於何種心理，慈禧忽然建議：七爺、僧王都是自家親人，明日召見時乾脆去掉黃縵帳，這樣更顯得是家人聚會，氣氛親切些，談得也會深入些。

原來，自從挫敗了以肅順爲首的輔政八大臣之後，兩宮太后每天便和小皇帝一起召見臣下，處理國事。召見時，小皇帝坐在正中，兩宮太后坐兩側。爲嚴男女之防，前面掛一塊薄薄的黃縵帳。這樣，太后可以看得清奏事的臣子，而臣子却看不見太后。這就是近代史上有名的垂帘聽政。慈安太后鈕祜祿氏比慈禧還要小兩歲，是個性格平和，對國事不感興趣也缺乏這方面才幹的女人。她思量著僧格林沁名義上是大行皇帝的表兄，實際上並沒有血緣關係，且長年帶兵在外，彼此並不親密，到底比不上六爺、七爺這些親骨肉，轉念一想，示僧格林沁以親切也有道理，猶豫一下，又同意了。因爲有這個緣故，慈禧今天的梳妝更顯得不同一般。

待四五個太監忙忙碌碌地侍候了個把時辰後，慈禧起身來，自己對著西洋進口的大玻璃鏡，前後左右地轉了幾圈，覺得滿意了，這才對安得海說：「小安子，你去東閣那邊去看看，進行得怎麼樣了，再去前殿看他們都來了沒有。」

「喳！」安得海轉身出門。一會兒功夫，回來稟報：「母后皇太后早已穿戴完畢，正在等這邊的消息。七爺和僧王也在軍機處朝房等候叫起。」

「行，咱們走吧！」慈禧邊說邊出了門。

平素垂簾聽政之處都在前殿的東暖閣，今天特爲安排在西暖閣。這裏是前代皇帝批閱奏章的地方，從雍正朝設立軍機處之後，便成爲皇帝與軍機大臣密談的房子。乾隆皇帝在西頭隔出一個極小的房間，將宮中珍藏的王羲之《快雪時晴帖》、王獻之《中秋帖》、王珣《伯遠帖》三件稀世墨寶懸掛在這間小房子裏，並命名爲三希堂。批閱奏章勞累的時候，他便走進三希堂，以欣賞三王的墨迹作爲休息。他的子孫嘉慶、道光、咸豐都沒有這個雅興，很少光臨。不過，三希堂仍一直完好地保存著。

慈禧踏進西暖閣時，慈安已端坐在那裏了。慈禧向慈安行過禮後，就挨在她的身邊坐下。因爲今天屬於非正式的會見，故未叫值班大臣傳令，而是叫安得海到軍機處朝房去傳奕譞和僧格林沁。

奕譞的福晉是慈禧的親妹妹。當年，慈禧依靠奕訢的力量擊敗了肅順一班輔政大臣，後來發現奕訢本事大，不易控制，就尋機削掉了奕訢「議政王」的封號，轉而信任這個身兼小叔子、妹夫雙重身分的奕譞。奕譞的爲人行事與奕訢大不相同。他謹守祖宗家法，器局封閉狹窄，對內只信任滿人蒙人，對漢人一貫不親近，對外則夜郎自大，盲目輕視排斥洋人。

蒙古親王僧格林沁慓悍勇猛，他率領的軍隊向來號稱能征慣戰，八旗兵、綠營他都看不上眼，更何況那些臨時招募的練勇。但偏偏就是這些他眼中的烏合之衆，這些年來在江南戰果纍纍，最終攻下了江寧，奪得了對太平軍作戰的全勝。相反地，他的蒙古鐵騎在與捻軍的角逐中常常打敗仗，相形之下，昔日的聲威銳減。這個一代天驕的後裔，對曾氏兄弟和湘軍窩著一肚皮無名怒火。

湘軍進江寧後，打劫財富，屠城縱火，又放走幼天王，朝野謗讟四起，物議沸騰，僧格林沁聽了十分得意，趕緊打發富明阿以視察滿城爲由，去江寧實地了解。誰料曾國荃一嚇一賄征服了富明阿，江寧將軍回去後向僧格林沁作了假彙報。僧格林沁不相信，又派了幾個有心眼的幕僚偷偷到了江寧城。他們秘密地查訪了十天，掌握了湘軍高級將領竊取金銀財寶的鐵證。僧格林沁據此向太后、皇上密奏一本，要求宣示湘軍洗劫江寧的罪行，註銷曾國藩的爵位，將曾國荃、蕭孚泗、朱洪章等人押至刑部嚴訊，並立即全部解散湘軍。這個為洩私憤而企圖將湘軍一網打盡的密奏，就連慈禧也覺得太過分了。

就在江寧打下後的幾天裏，慈禧收到了十來封奏摺。這些奏摺用不同的語言表達一個共同的主題：莫忘載舟之水亦能覆舟的古訓，湘軍凶惡貪婪，曾國荃桀驁不馴，謹防意外。令慈禧驚訝的是，這些摺子竟然大部分出自漢大臣之手。不久，曾國荃自請開缺回籍養病，曾國藩稟報即將大規模裁撤湘軍。慈禧的心總算輕鬆了一些，她順水推舟地批准了曾國荃開缺回籍的請求，耐著性子等待曾國藩裁軍的具體行動。她希望湘軍這個隱患能消失在曾氏兄弟的自抑過程中，那樣一則不會因朝廷的制裁而激發事情的惡化，二則也不會給後世留下容不得功臣的詬病。不料，關於裁軍一事，曾國藩就那份奏報外再沒有下文了。駐守鎮江城的督辦鎮江軍務廣西提督馮子材，密奏江寧城內根本沒有裁軍的舉動，索餉鬧事的現象到處皆是，前不久鮑超的霆軍公開嘩變，而曾國藩並沒有給嘩變的官勇以處罰，甚至想遮掩過去。

接到馮子材的密奏之後，慈禧意識到對湘軍再也不能掉以輕心，趁著僧格林沁回京休假的時候，她把這位大清朝的干城召來，並與七爺一起進宮密商。

僧格林沁和奕譞一前一後地進了西暖閣。僧格林沁見兩位皇太后端坐在炕上，前面並沒有黃幔帳，不覺大吃一驚，忙跪下磕頭，不敢仰視。奕譞也跟著跪下。

「都請起來，今天是咱們自己家人聚會，不要這麼多禮節。」慈禧對著兩個跪倒在她脚下的鬚眉男子嫣然一笑，說，「你們看，咱們姊妹也沒有設帘子，都是自家手足，要這個帘子做什麼！」

僧格林沁、奕譞周身滾過一陣暖流，坐到兩宮皇太后的對面。慈安藹然吩咐：「給僧王和七爺敬茶。」

兩個宮女用鎏金銅盤端上兩杯茶來。擺在僧格林沁面前的是一個血紅瑪瑙杯，擺在奕譞面前的是一個松花翡翠杯，泡的都是福建巡撫徐宗乾進貢的閩南烏龍茶。只見慈禧一揮手，所有太監、宮女都悄然無聲地退出西暖閣。

「姊姊，你先說吧。」盡管慈安的年紀小於慈禧，但名分卻在慈禧之上，慈禧不得不叫她姊姊，自稱妹妹。和每次召見臣子一樣，慈禧在說話之先，都要說上這樣一句話。也和每次一樣，慈安照例回答這樣一句話：「我們姊妹之間還講什麼客氣，你就先說吧。」

「姊姊既然要我先說，我就先說幾句。」慈禧說過這句套話後，以輕柔動聽的女人聲調開始了她的正題，「弘德殿的師傅要皇帝背《書經》，皇帝就不來了。今兒個我們姊妹請僧王和七爺來，是要聽聽你們對南面湘軍的看法。曾國藩的湘軍立了大功，克復了江寧，這是大家都知道的事。不過，湘軍進了江寧後，放火燒盡長毛的僞宮殿，長毛多年聚斂的財富都變成了湘軍將領的私產，朝野對此都很憤慨。我們姊妹也覺得曾國藩、曾國荃兄弟有負朝廷的厚望。前些日子，曾國藩說裁湘勇，但至今並無行動。兩位王爺說說，朝廷對湘軍應如何處置？」

慈禧的話剛一說完，僧格林沁便迫不及待地奏道：「太后，奴才早就看出湘軍不是好東西。三年前打下安慶的時候，就有人向我稟報，說湘軍把安慶城洗劫一空。這次打江寧更是瘋狂，金銀財寶掠奪光不說，連江南女子都給他們搶盡了。老百姓說，湘軍都是强盜、畜牲，比長毛壞多了。太后，奴才還是先前的那句話，削掉曾家兄弟的爵位，把曾國荃等人押到刑部審訊，强行解散湘軍，派我八旗子弟兵進駐江寧城。」

慈安笑道：「僧王說的有道理，但曾國荃沒有造反的跡象，若是把他押到刑部，別人會說朝廷虧待功臣。」

「怎麼沒有造反的跡象？湘軍本是團練，仗打完了，就得解散。不想造反，爲何遲遲不解散？」僧格林沁是滿蒙親貴中最能打仗的人，又是咸豐帝姑母的養子，咸豐帝生前對他都很客氣，更助長了他的驕橫跋扈，即使在皇太后面前，他也顯得放肆。兩宮太后都知道他的脾氣，相互對視了一眼，微微笑一下，都沒有做聲。

奕譞說：「太后，依奴才看，曾國藩是個最虛偽的人。打下安慶時，曾國荃把偽英王府的全部財產都運回他的湖南老家，用這筆錢給他的每個兄弟都買了田起了屋。正因為這樣，曾國藩明明知道，却不作聲。他又得了財產，又得了廉潔的名聲。這次打下江寧，他上奏說，所傳金銀如海、財貨如山的話都是假的。這是連三歲小孩子也哄不過的。既然沒有金銀財貨，為什麼要放火把長毛的偽王宮王府都燒掉？為什麼不學當年曹彬的樣，封存府庫，等待朝廷派人來驗收呢？怪不得別人都說曾國藩是偽君子。上次說的裁撤湘軍的話，太后絕不要相信他。奴才看他是不會主動去解散湘軍的。」

奕譞的話說完後，西暖閣裏沉默了好一陣子。慈禧問：「依七爺的意思，也是要朝廷下令強行解散湘軍了？」

奕譞想了一下，說：「奴才也不是說要朝廷下令強行解散，看是不是有別的法子，逼著曾國藩去履行他的諾言。」

「有一個法子可以逼他。」僧格林沁信心十足地說。

「僧王有什麼好主意？」慈安轉過臉問。

「將奴才的蒙古鐵騎從山東開到江南去，駐紮在江寧城四周，用武力逼他解散湘軍。」僧格林沁氣勢雄壯，彷彿他的騎兵就是一支能降百魔的天兵天將。

慈安輕輕地點頭，像是讚許。慈禧在心裏冷笑：你的鐵騎能敵得過曾國荃的吉字營嗎？嘴裏說：「僧王的主意好是好，只是太露形跡了。」

奕譞說：「太后說的是。蒙古鐵騎開過長江，駐紮在江寧城外，的確是太露形跡了，不撤湘軍和造反畢竟有所不同。但僧王的主意仍然可用。打著剿安徽境內捻賊的旗號，將人馬開到蘇皖一帶。這樣，既對江寧城內的湘軍是一個壓力，又可以防備今後的風吹草動。」

「七爺的這個辦法最穩妥。」慈安立即表態。

慈禧望著這個二十七歲的妹夫，不覺暗暗讚賞：這幾年有長進，再磨鍊磨鍊，以後會是一個好幫手。遂微笑著說：「七爺這個主意不錯。不過這樣一來，壓力又變得不直接。還是如七爺所說的，要盡快逼得曾國藩履行裁軍的諾言才好。不然，湘軍總是朝廷的一塊心病。」

西暖閣裏又是一陣沉寂。四周擺設的幾具西洋座鐘發出咯噹咯噹的聲音，愈發襯托出閣內閣外的寧靜。人間第一家的叔嫂四人都在絞盡腦汁思考著，如何才能盡快盡好地去掉大清王朝的這塊心腹之病。突然，僧格林沁猛地拍了一下大腿，兩宮太后都嚇了一跳。他意識到自己的失態，忙說：「奴才失禮，請太后饒恕。」

慈禧笑著說：「僧王心中一定有了好主意。」

慈安也笑著說：「不要緊的，就像在自己家裏一樣，僧王不必介意。」

僧格林沁說：「奴才打仗，常常採用誘敵進圈套的辦法，遠遠地將敵人引過來，進了圈套後，他就不得不聽奴才的擺佈了。」

奕譞興奮起來：「奴才明白了僧王的意思，是要把湘軍引進朝廷布置好的圈套，然後再來名正言順地收拾它。好，眞是好主意！不過，設一個什麼好圈套呢？」

「是呀，設個什麼好圈套呢？曾國藩可是一個很有心計的人呀！」慈安面有難色，她於這方面是一點主意都沒有的。

「有個最簡單的辦法。」僧格林沁說，「皇上下道諭旨，說要曾國藩進京陛見，太后當面嘉獎。奴才再派幾個人在半途殺掉他，事後殺兩個替死鬼了結。曾國荃已開缺了，曾國藩這一死，湘軍羣龍無首，自然就瓦解了。」

僧格林沁說完後看了兩個太后一眼，自以爲這是最好的主意。曾國藩本是他嫉恨已久的對頭，現在却透過太后的手來除掉他，豈不太令人愜意了！他沒有想到，慈禧自有她的想法。她還不想殺掉曾國藩，因爲皖豫一帶的捻軍、陝甘一帶的回民都鬧得很厲害，她兒子的這座江山還未完全鞏固，很可能還要依靠曾國藩去平捻平回。但是，眼下他手裏的這十幾萬湘軍又必須大規模裁撤，方可保證江南不再出事。到時需要曾國藩重上前線，再讓他去湖南招募新軍好了。這就叫做召之即來，揮之即去。朝廷必須要建立這樣的權威，才可以駕馭遍布全國的幾十萬團練。如果讓建第一號功勛的曾國藩帶頭這樣做，那麼今後左宗棠的楚軍、李鴻章的淮軍就翹不起尾巴，只得乖乖地跟著學樣。反之，若曾國藩不裁撤湘軍，以後左、李也會跟著學。天下有了這幾十萬打過多年硬仗、立過大功的湘、楚、淮軍存在，眞好比在紫禁城裏容下幾個佩劍拿刀的强盜，隨時都可能有不測之禍發生，養心殿裏的寶座還能坐得安穩嗎？所以，最好的辦法，是不露聲色地逼曾國藩自動裁軍。

冥思苦想了半天，兩位軍國大臣都無計可施，倒是慈禧心裏冒出一個主意來。她問僧格林沁：「據說湘軍裏混有哥老會，僧王在山東聽說過嗎？」

「是的，湘軍中有大批哥老會。前次鮑超的霆軍嘩變，有人說就是哥老會從中煽動的。」僧格林沁回答。他手下有一支漢人隊伍，帶兵的頭領是前些年從太平軍投降過來的陳國瑞。陳國瑞跟湘軍不少將領有往來，湘軍中有哥老會，就是他告訴僧格林沁的。

「說是哥老會反對朝廷，眞有這事嗎？」慈禧又問。

「據奴才所知，哥老會是湘軍中一班流氓痞子結成的團伙，打著有福同享、有禍同當的旗號籠絡人心，在湘軍中拉幫結派。不過，還沒有聽說過哥老會反對朝廷的話，但也不能打包票。」僧格林沁說。

奕譞說：「奴才聽說綠營中也有哥老會的人，這很可怕。」

慈禧皺了一下柳葉眉，一個設想在她的心裏陡然成熟了。她轉眼對慈安說：「姊姊，時候不早了，僧王和七爺也累了，今天就議到這裏吧。您看呢？」

慈安說：「是說了很久的話了，不過，逼曾國藩早點裁軍的主意還沒商量出來呀，是不是明兒個還請僧王和七爺進宮來呢？」

「過幾天再說吧。」慈禧邊說邊起身，慈安也跟著起身。僧格林沁、奕譞忙離開椅子，就要跪安。

「不用了。」慈禧輕柔的聲調裏顯然帶著幾分剛氣，秀美的丹鳳眼專注地盯著兩個堂堂男子漢，說：「今兒個是咱們自家人在這裏隨便聊聊天，出去後，誰也不能再說起哦！」

「奴才明白。」僧格林沁說完後抬頭又看了慈禧一眼。這是他第一次清楚地看見聖母皇太后。「太美了！」粗野的蒙古親王在心裏讚嘆不已。就在這時，他發現慈禧也正盯著他，那眼神有點異樣，他趕緊把頭低下。

「在這裏吃過飯再回去吧！」慈禧對著門外一招手，安得海立即又輕又快地走了過來。「你去前面御膳房招呼一下，給僧王和七爺備一桌好酒飯。」

回到後殿西閣，吃過點心，慈禧安安穩穩地睡了一個午覺，醒來後又想起上午的密談。她有點失望，談了半天，兩位皇親並沒有給她出一個好主意，最後還是自己一時靈感上來，冒出了一個想法。她記起丈夫生前曾很有感慨地對她說過的一句話：眞正能辦事的還是漢人。她很想把幾個老成持重的漢大臣，如大學士賈楨、周祖培等人找來，問問他們。但這樣一個處置曾國藩和湘軍的重大決策，是不能讓他們知道的。她對自己的設想不十分滿意，覺得還有欠缺，遂坐在梳妝台前，一邊欣賞自己美麗的面容，一邊繼續思考著，力圖構造得更完備些。

僧格林沁雄壯的身軀時常干擾年輕太后對國事的思索，好半天了，她的計劃也沒有多少進展。這時，安得海送來一大疊內奏事處呈遞的奏摺。她隨手翻了幾份，看到了新封男爵福建陸路提督蕭孚泗奏請回籍奔父喪的摺子。她突然腦子一轉，又有了一個新主意。

第二天一早，兵部兩個年輕力壯的摺差，背著兩份絕密上諭，以每日五百里的速度，分別向武昌和南昌飛奔而去。

二　官文親到江寧追查哥老會

五天後，湖廣總督官文接到了慈禧的密諭，新近榮封伯爵的滿州大學士心裏得意。他出身於世代特權階層，有著濃厚的門第偏見。這些年來，他眼睜睜地看著先前卑微低賤的漢族窮書生、種田佬，一個個爬了上來，占據高位，心裏很不是味道。出於這種心理，胡林翼任鄂撫初期，他常常掣肘。後來，精明的胡林翼爲了大局，不得不卑容謙辭，處處讓他，又玩起夫人外交的手腕，才維持住武昌城內督撫相安的和局。也同樣出於這種心理，當李續賓、曾國華在三河被圍的時候，他不但不發兵救援，反而加以奚落，結果害得湘軍精銳大損。江寧攻克後，雖然晋封伯爵，但看到曾國藩封侯爵，曾國荃、李鴻章都封伯爵，他心裏不舒服。尤其是不久前左宗棠也封了伯爵，他更氣惱。他與左宗棠由樊燮一案結下的宿怨，並沒有因左後來的戰功突出而淡化，反而妒火中燒，愈煽愈烈。現在，皇太后密諭他去辦一件打擊漢人的大事，他如何不喜從中來，踴躍前往！

官文和府裏的幕僚們議出了一個完美無缺的計劃。於是，幾個足智多謀的幕僚和有鷄鳴狗盜之技的俠士，乘坐一條火輪向下游駛去。火輪在離下關碼頭二十里遠的綏帶洲停下來。這裏有一座廟宇，名叫先覺寺，是南朝劉宋時期建造的，已有一千餘年的歷史了。太平天國不信佛教，故這些年寺院冷淸。寺裏有十多間空房，住持見有遠客來臨，忙收拾五間乾淨的房子，讓這一班人住下。

寺裏的和尚們不知道這班人是什麼身分，只見他們氣概不俗，吃得好，又捨得多給房錢，料定是有錢的富商，招待得十分殷勤。夜裏，俠士們換上青衣黑帽夜行服，潛入吉字大營的各個軍營中，偷偷地從營官房裏將該營花名册盜出，然後趁著天未亮回到先覺寺。白天，幕僚們關上房門，從每本花名册中抄出二三十、四五十不等的人名來，連同他們的籍貫、年齡、任職等情況都抄下。抄好後，這本花名册又在當天夜晚被送回原處。這樣，在先覺寺住了三天三夜的督署幕僚們，已經從吉字大營中的節字營、信字營、煥字營等十多個軍營的花名册上，抄下四百多名湘軍官勇的名單及簡歷。第四天中午，官文親自坐上豪華的英國造小火輪，風馳電掣般地來到綏帶洲，將這一班人帶上船，急速開到下關碼頭，上岸後坐進臨時雇的轎子，來到由原侍王府改建的兩江總督衙門。

當衙役將寫著「文華殿大學士湖廣總督一等伯官文」的名刺遞上的時候，正在簽押房批閱文件的曾國藩大吃一驚：這個一向十分講究排場體面的滿洲大員，怎麼沒有事先打個招呼，便直接投衙門而來？再說，官文此時來到江寧，又意欲何為呢？曾國藩來不及細想，便吩咐大開中門，迎接貴賓。

「官中堂光臨江寧，怎麼不通知下官？你是存心讓我背一個失禮的罪名呀！」當曾國藩穿戴整齊走出二門時，白白胖胖的官文已進了大門。曾國藩老遠便打著招呼，態度親熱，好像來的是一位知交摯友。

「哎呀呀，曾中堂，你看你說的，你是侯爺，我哪裏敢屈你的駕來迎接。」官文的態度更親熱，滿面春風地迎上前來，彷彿前面站的是他情同手足的舊雨。

坐定後，官文說：「上岸後，從下關碼頭到總督衙門這一段，鄙人從轎窗口看到江寧城已趨平靜，百業也正在復興，曾中堂眞正有經緯大才，不容易呀！」

曾國藩說：「官中堂誇獎了，江寧城被圍了三年，湘軍進城時，長毛拚死抵抗，所有僞王宮王府，都縱火焚毀，一代繁華古都，幾乎化爲廢墟，要恢復起來，至少要十年光陰。」

官文聽後心想：好個狡猾的曾滌生，明明是湘軍放火燒城，卻偏要說是長毛幹的，爲他的兄弟和部下洗刷罪名。他笑著說：「全部恢復當然不容易，眼下只有幾個月，便能有這個樣子，眞了不起。聽人說，秦淮河已修繕好了，規模和氣魄都超過了咸豐初年。看來，曾中堂雅興很高。過幾天，也讓鄙人去坐坐畫舫，聽聽曲子，在胭脂花粉水面上享享人間艷福吧！」說罷，哈哈大笑起來。

曾國藩也笑著說：「官中堂有這個興致，下官一定奉陪，只是秦淮河並未全部復原，僅在桃葉渡建了幾間房子，怕不能使官中堂滿意。」

「九帥說是要回籍養病，離開江寧了嗎？」笑了一陣後，官文轉了一個話題。

「半個多月前就坐船走了。」

「這麼快就走了？可惜，不知在哪段江面上失之交臂。」官文顯得十分遺憾，「九帥現在可是普天之下人人羨慕的英雄啊！」

「官中堂太客氣了。」曾國藩誠懇地說，「沅甫能有今天的成功，全仗官中堂的提攜獎掖。當年沅甫初出山時隸屬湖北，官中堂對他照顧甚優。這些年官中堂雄踞武昌上游，斬斷長毛的氣脈，沅甫才能僥倖克復江寧。若無官中堂，哪來今日的『九帥』呀！」

官文點點頭，以一副上司長輩的口氣說：「事實雖如此，也要他自己爭氣。不過，也不要這麼快就急著回家嘛。他一走，吉字營五萬弟兄誰來統馭？」

「沅甫有病，還是早點回家休息爲好。」曾國藩平靜地說，「至於吉字營，不久就要全部解散，統統都叫他們回老家。」

「全部解散？」官文做出驚訝的神態，「長毛還未徹底消滅，北邊還有捻軍作亂，還得要依賴湘軍保衞朝廷。」

「湘軍已滋生暮氣，難以擔當重任，應以全部解散爲好。只是目前還有些難處，故暫時未動。」曾國藩對官文的不速而至抱有極大的戒心，他從剛才的話裏，已猜到官文是爲朝廷來探詢湘軍的裁撤情況的，所以一提到湘軍，他的態度相當鮮明，怕任何一絲的含糊而招致朝廷的疑心。

孰料官文聽了這話，反倒加重了對曾國藩的反感：什麼「滋生暮氣」，說得好聽，其實都是假的；「暫時未動」才是實情，看你「暫時」到什麼時候。

客廳裏的閒聊，表面上輕輕鬆鬆，互相吹捧，骨子裏你猜我忌，各懷鬼胎；廚房裏的準備却是忙忙碌碌、紮紮實實的。花廳裏的接風酒吃得歡暢。飯後，趙烈文奉命把官文一行送到莫愁湖畔的勝棋樓驛館安歇。莫愁湖水面七百餘畝，湖內荷葉滿布，湖岸亭樓相接，號稱金陵第一名湖。明洪武年間，朱元璋與中山王徐達在此下棋。朱元璋輸了，順手將莫愁湖送給徐達。徐達便在湖邊建了一座樓房，取名「勝棋樓」。在這樣名勝之地安歇，官文等人都很滿意。趙烈文又打發人從桃葉渡招來幾個絕色歌女侍候。當莫愁湖畔官文一行陶醉在舞低楊柳樓心月、歌盡桃花扇底風中的時候，兩江督署書房裏，曾國藩對著一盞油燈，獨自枯坐了大半夜。

第二天上午，曾國藩坐轎來到莫愁湖回拜，官文不提正事，曾國藩也不問。夜晚，曾國藩提出陪官文去秦淮河。官文說：「你忙，別去了，另外叫個人陪陪就行了。」他本無此興趣，遂叫趙烈文陪著他們在秦淮河畫舫上聽了一夜的曲子，觀賞了一夜兩岸風光。官文眼界大開，興致盎然。第三天下午，待官文睡足後，曾國藩親自陪著他視察即將完工的江南貢院，興致勃勃地談起今科鄉試的重大意義及各界對此事的熱烈反響，然後又一同來到正在興建中的滿城。在查看的過程中，曾國藩鄭重其事地請官文向朝廷建議：江寧乃江南重鎭，且長毛盤踞多年，滿城建好後，務必請從八旗子弟兵中挑選精銳者來此。從前駐在滿城的旗兵爲二千人，爲重鎭壓，請朝廷加派三千，興建中的滿城就是按五千編制的規模設計的。又指著一處地方說，這裏將建一座規格最高的祠堂，祭祀當年爲國殉職的江寧將軍祥厚，以及死於國難中的所有旗兵。官文聽了這番話後，心中默然。視察完後，官文以誠懇的態度對曾國藩說：「今夜按理鄙人應親來督府拜會侯爺，只是府內人多耳雜，多有不便，委屈侯爺來莫愁湖一趟，鄙人有要事相告。」

曾國藩知道官文要談正事了，遂神情悚然地說：「戌正時分，下官準時來莫愁湖趨謁。」

當薄暮降臨古都的時候，一頂小轎載著身穿便服的兩江總督，悄悄地進了莫愁湖，上了勝棋樓。

略事寒暄後，官文揮退幕僚和僕從，神色嚴峻地說：「鄙人這次從武昌來江寧，特為核實一樁案子。」

曾國藩一怔，說：「什麼大案子，竟然勞動官中堂親自來江寧？」

「這樁案子的確非比一般。」官文的臉色凝重，與畫舫中的滿洲權貴判若兩人。「一個多月前，有人向湖督衙門告發，說駐紮在蘄州的軍營裏出了哥老會。侯爺十年前在長沙剿撲匪盜，一定知道哥老會是個什麼團伙。」

其實，十年前曾國藩在長沙初辦團練的時候，湖南境內的會黨中並沒有哥老會這個名目。那時在湖南鬧得厲害的是天地會、串子會、一股香會、半邊錢會等等，發源於四川的哥老會還沒有傳到湖南來，曾國藩知道有哥老會這個名字，還是在鮑超的霆軍嘩變之後。他不想把這些情況告訴官文，只得含含糊糊地點了一下頭。

「那眞是一班遭五雷轟頂，該千刀萬剮的傢伙！」文華殿大學士給哥老會冠上一連串的帽子，藉以發洩他對這個會黨的切齒痛恨。「他們當面是人，背後是鬼，在軍營裏吃皇糧，領皇餉，却幹著反叛朝廷的勾當，他們企圖學長毛的樣，造反叛亂，自立王朝。」

「哦！」曾國藩知道哥老會是個拜把子的團伙，並不像官文說得這般嚴重。他不好說什麼，只能吐出這樣一個字來。

「鄙人得知軍營裏竟然出現這等危害國家的事，於是親到蘄州，命令副將管威務必嚴辦此事，一個不漏地把所有哥老會匪徒全部挖出來，嚴加審訊，把來龍去脈都弄淸楚。結果在蘄州搜出了三十二個哥老會匪徒，爲首的屈正艮居然還是個把總。鄙人親自審訊屈正艮，要他從實招供，倘若認罪態度好，可以免除他的死刑。」

官文停了下來，端起茶杯，輕輕地抿了一口，望著撫鬚端坐的曾國藩，繼續說下去：「審來審去，誰知審到侯爺的湘軍頭上來了。」

官文又正視了一眼曾國藩，只見他仍然撫鬚端坐，並未因這一句話而有一絲變化。其實，自從踏進勝棋樓門檻的那一刻，曾國藩的心就沒有安寧過。當官文提到哥老會的時候，他心裏就有底了：一定是湖北的哥老會與霆軍裏的哥老會有什麼瓜葛牽連。心裏早有準備，故官文這句話沒有收到他期待的效果。官文略覺失望，停了片刻，又說：「屈正艮說，哥老會在蘄州還只開始，大本營在湘軍。爲立功贖罪，他交出了一份湘軍哥老會的名册。鄙人嚇了一跳，竟有四百多號，又都是九帥吉字營的人！」

曾國藩撫鬚的手驀地停了下來。湘軍中竟有四百多號哥老會，且又不是鮑超的霆軍，而是老九的吉字營，這兩點出乎他的意外。

在曾國藩沉思的時候，官文取出早幾天在先覺寺裏抄的花名册，把它遞過來。他接過花名册，一頁一頁翻開看著。花名册開得很詳細：姓名、年齡、籍貫、屬於何營、編於哥老會第幾堂第幾方，全寫得清清楚楚。其中有個別人，曾國藩還認得。翻過一遍後，他合上花名册，放到茶几上，語調沉靜地說：「謝謝官中堂送來這個花名册。這些傢伙是國家的禍害，也是湘軍的敗類，下官必將一一清查出來，嚴懲不貸。不過，」曾國藩拉下臉來，盯著官文看了一眼，「此事牽涉面廣，關係重大，下官不能輕率動作，必須與各營官查實後再說。」

在曾國藩盯他的瞬間，官文覺得那眼光如同兩道陰冷的電光，要把幾天前他的鬼祟行動公之於世似的。他一陣心虛，臉上泛起不自然的笑容，忙說：「侯爺說得有道理，當然要查實。鄙人之所以親自將這本花名册帶到江寧來，也就是爲了讓侯爺查實。屈正艮既是哥老會頭目，就絕不是良善之輩，難保他不狗急跳牆，誣陷好人。何況九帥的吉字營，是一支人人景仰的英雄之師，鄙人更不會輕易相信。鄙人建議侯爺不露聲色地將各營花名冊調齊，然後委派幾個最信得過的心腹一一核對。倘若屈正良所供與事實有出入的話，鄙人斷不會饒過那小子。當然也請侯爺放心，此事決不會張揚出去的，三天後我等侯爺的消息。」

官文的態度是如此眞誠，話說得如此懇切，曾國藩不能再講什麼了，說了一句「謝謝官中堂的好意」，便懷揣著花名冊，離開莫愁湖，悄然回到督署。

進臥室後，曾國藩點燃兩支大蠟燭，將花名冊又一次翻開，一個個名字仔細審閱。他的心一陣陣緊縮，不由得暗暗地責備起九弟來：「沅甫呀沅甫，你的吉字營混有這麼多哥老會，你怎麼一點都不知道呢？糊塗，眞正是糊塗！」

深夜，他把趙烈文、彭壽頤召來商量。他們也大爲驚訝，都說從來沒有聽到一點風聲，怎麼會一下子冒出這多哥老會，不可相信，先查核再說。

第二天，曾國藩以淸查人數爲名，將吉字大營各營的花名冊收上來。又把那本花名冊拆開，安排五個幕僚仔細核對。兩天過後，五個幕僚都來稟報，說發下來的名單與營裏的花名冊所載的履歷完全一致。

這一下，曾國藩被鎮住了。他頹然靠在躺椅上，又是惱火，又是恐懼：湘軍打下江寧，招致八旗、綠營帶兵將領的嫉恨和朝廷的戒備；又因爲隱瞞財貨、放火燒城授四海之內以口實。現在再讓這個面善心不善的滿人大學士抓到如此重大的把柄，湘軍今後的處境將是艱難的！「盡快裁撤！」曾國藩從躺椅上站起，本已打定的主意，此時更加堅定了。

三天過去了，官文按時來到兩江總督衙門。不待官文發問，曾國藩先講了實話：「屈正良招供的名單，我已經全部查核，與花名册上的登記無異。我會叫各營官對這些不法之徒嚴加審訊，依法懲辦的。」

「侯爺的命令下達了嗎？」官文緊張地問。

「明早就發出。」

「那就好。」官文鬆了一口氣，以關切的口吻說，「侯爺，依鄙人之見，這個命令可不必下達，審訊之事也可以免去。」

「爲何？」曾國藩略覺奇怪。

「侯爺，你聽鄙人慢慢地說。」官文整整膝上的發亮緞袍，將椅子稍稍向曾國藩的身邊移動幾寸，然後做出一副十分眞誠的態度來，說，「湘軍打了十多年的仗，勞苦功高，天下共仰，裏面混進幾百號哥老會，也不是大不了的事。倘若要在各個軍營裏公開清查審訊，那事情就鬧大了，勢必傳出去。一旦傳出去，於侯爺，於湘軍都很不利。何況這些哥老會都出自吉字營，九帥不在這裏，也難免會引起他心中不快。」

官文這末了一句話，像一擊重錘打在曾國藩的心坎上。是的，沅甫離江寧時，本已心情抑鬱，若此時再在吉字營清查哥老會，不是在存心拆他的台嗎？那樣做，要麼是害得他心情更痛苦，病更加重；要麼是將他逼到懸崖邊，不得已而使兄弟反目為仇。這兩種結果，都是曾國藩所不願看到的。

「難道就讓他們逍遙法外，不受懲罰？」曾國藩的調子分明低下來。

「不是這樣說，侯爺。」官文的態度益發懇切，「侯爺對太后、皇上的忠心，朝野某些人或許不太知，鄙人却深知。其他的不說，就說這幾天我看到的侯爺對滿城的修復，對祥厚將軍和殉難旗兵的崇祀，就足以證明侯爺的耿耿忠心可昭日月。前一陣子，侯爺主動奏請太后、皇上裁撤湘軍，大功之後，不居功要挾，反而自剪羽翼，古往今來，能有幾人？太后、皇上甚是稱讚，鄙人也欽佩不已。」

曾國藩側耳傾聽官文滔滔不絕的演講，不時以微笑表示贊同。對這位與皇家關係極為密切的滿清大員的每一句話，他都要仔細地聽進去，認眞地去琢磨。此人來得不尋常，辦的這樁事也不尋常，如今又說出這樣一番不尋常的話來，他究竟要幹什麼呢？

「侯爺，依鄙人之見，此事宜不露聲色地處理。侯爺不是要裁撤湘軍嗎，湘軍既然都要裁撤，這些哥老會匪徒，不也就跟著解散了嗎？一旦解散，他們還能有什麼作爲呢？好在他們目前尚未有大動作，這樣消滅於無形之中，既爲國家除去了隱患，又爲湘軍、爲九帥顧及了顏面，兩全其美，侯爺以爲如何？」

原來，他是來勸我趁此機會趕快裁軍！曾國藩終於明白了官文江寧之行的意圖。裁撤湘軍，本就是曾國藩自己的決定，只是因遭到反對以及欠餉的實際問題不能解決，才推遲下來。現在，官文爲核實哥老會一事親來江寧，並提出這樣一個純粹出於愛護之心的最好處理辦法，一向對官文表面推崇心裏深存隔閡的曾國藩，不覺爲自己心胸的狹隘而慚愧起來。他出自內心地說：「官中堂一片苦心爲湘軍和下官兄弟好，令我們感激不盡。撤湘軍，早已是既定方針，現在又能起到消除哥老會於無形的作用，更促使下官早日辦理此事。不過，下官縱然不在江寧城審訊他們，今後也要告訴地方官員暗中監視，以免他們再結夥糾團，爲害國家。」

「侯爺老成謀國，考慮深遠，是應該這樣做。」官文說。心裏想：只要現在不審訊，把戲就不會揭穿，以後分別監視也好，抓起來坐牢也好，都怪那些倒楣鬼自己的命不好，與他無關。他知道曾國藩是個深具城府、工於心計的對手，為進一步消除懷疑，取得歡心，他說：「侯爺，那天給你的那本名單呢？」

「在這裏。」曾國藩將屈正良招供的名單遞過去。

「侯爺，今夜我當著你的面，將這份名單燒掉。從今以後，就當沒有這回事。蘄州的哥老會我也不再去審訊了，都將他們流放到伊犂去，叫他們今生永遠與中原隔絕。」

說罷，將名單就著蠟燭點燃。很快，一迭令人心驚膽戰的黃竹紙全部化作黑蝴蝶。

曾國藩不無激動地說：「謝謝官中堂的成全。」

「哪裏，哪裏。古話說得好，官官相護，我這個『官』，今後還要靠侯爺你的庇護呀！」官文得意地笑著說。

「官中堂取笑了。今後只是下官依賴你的時候多，若是眞要下官效力時，下官敢不從命嗎？」曾國藩也笑起來。

「侯爺，鄙人明天就離江寧回武昌。」

「明天就走？」曾國藩顯出捨不得離開的樣子，「下官還準備陪中堂到湯山溫泉去沐浴哩！」

「江寧剛收復，事情多得很，鄙人在這裏多有吵煩，明年冬天再來，那時和侯爺到湯山安心去洗個溫泉浴！」

「好！」曾國藩高興地說，「就這樣說定了。明年臘月派人到武昌來接，太太、公子都一起來。」

「好，一起來！」官文快活地答應。

次日上午送走官文一行後，曾國藩回到督署，又陷入了沉思。他始終對此事不踏實：過去一點風聲都沒聽到，何以吉字營一下子冒出這麼多的哥老會？再說，屈正良又不是哥老會的總頭目，他怎麼會有湘軍哥老會的全部名單？轉念又想：如果說這個名單是揑造的話，爲何又與實際情況完全吻合？何況霆軍中哥老會猖獗，也難保吉字營中沒有哥老會。曾國藩不相信官文燒掉名單就意味著此事了結，他完全可以留下一個副本向朝廷密報，邀功請賞。與其讓他去告密，不如乾脆自己上個摺子，把事情挑明白，說明湘軍中已混有不法之徒，現即刻裁撤。

主意打定，他叫來彭壽頤，吩咐彭先擬個稿子。奏稿正在草擬的時候，趙烈文進來了，對曾國藩說：「老中堂，今上午朱洪章悄悄對我說起一件事。」

「什麼事？」曾國藩放下手中的公文，彭壽頤也停下筆。

「他說有天上午他要核對一個哨長的履歷，却突然發現花名冊不見了，到處找，找不到。他心裏想：若說是出了賊，夜裏被偷去，盜花名冊做什麼呢？別的東西都沒丟，連放花名冊的抽屜裏擺的幾錠銀子一個也不少。煥文很奇怪。第二天早上，他無意間打開屜子，花名冊赫然出現在眼前。煥文以爲鬧鬼了，把這當作件趣事告訴我。」

「眞是出鬼了。」彭壽頤聽得津津有味。

「哦！」曾國藩輕輕點頭，腦子裏一時冒出許多想法。

「老中堂，我當時聽了煥文的話後，立即就聯想到了官中堂帶來的花名冊。恰好這時煥字營的花名冊丟了一天，這中間怕有些聯繫。」

「是有聯繫。」彭壽頤立即接過話頭，「不瞞老中堂，門生對官中堂那個名單也始終有懷疑。」

「莫打岔，且聽惠甫說完。」曾國藩心裏已有數了。

「爲了證實這個想法，我走訪了好幾個營，都說沒有發現有花名冊失而復得的事。最後我到了捷字營。南雲告訴我，他營裏的花名冊也丟失過一整天，第二天又完好無損地擺在原地。其他營沒發覺，並不奇怪，因爲花名冊不到作用的時候，通常都不去管它。煥字營、捷字營兩個營的情況就足以說明事情的眞象：有人曾經在我湘軍軍營中有意盜竊花名冊，先天夜裏盜去，辦完事後，又在第二天夜裏歸還。」

「惠甫分析得很有道理。」彭壽頤又忍不住插話了，「而這事又恰好發生在武昌來人的時候。老中堂，那個堂堂大學士帶來的竟是一批鼓上蚤式的小人！」

「僞君子！」趙烈文罵道。

曾國藩沒有做聲。事情已經很清楚了，所謂屈正艮招供的名單，其實都是從盜來的花名冊上抄的，怪不得一絲不差。「這個卑鄙狠毒的鬼魅！」曾國藩在心裏叫罵。

「老中堂，這個摺子不擬了吧，門生再擬一個狀子，向太后、皇上告官文用卑劣手段誣陷湘軍。」彭壽頤氣得推開已寫了一半的奏稿，重新再拿出一張紙來。

「長庚說得好，不能容忍他們這樣坑害九帥和吉字營。」趙烈文義憤填膺地嚷道，「打仗他們縮在後面，勝利了他們反而無端來陷害。他們這樣做，天理不容！」

曾國藩心情異常痛苦，他呆坐在椅子上，腦子裏反反覆覆地翻騰著一個巨大的疑問：「官文為什麼要這樣做呢？」

突然，門外傳來一聲高叫：「老中堂，我叔父在九江出事了！」

大家都一驚，只見門外喊的人是蕭孚泗的侄兒都司銜哨長蕭本道。

「沈葆楨扣住了我叔父的座船。」

「怎麼回事？」曾國藩喝道。

「老中堂！」蕭本道一腳跨進門檻，衝著曾國藩說，「沈葆楨扣住了我叔父的座船。」

「沈幼丹爲什麼扣船，你坐下，詳詳細細地說清楚！」曾國藩滿臉不高興地說。

「老中堂，事情是這樣的。」蕭本道坐在曾國藩的身邊，把事情的經過一五一十地講了出來。

三　男爵的座船在九江被查封

十多天前，獲得男爵殊榮的蕭孚泗接到上諭，同意他回湘鄉原籍奔父喪。早在圍金陵的日子裏，他就打聽清楚了：城裏金銀財寶，第一數天王宮的多，其次便是天王的兩個哥哥信王勇王了。那天，他帶兵衝進金陵城內，首先便瞄準天王宮。但宮外激戰厲害，一時進不去，他便轉而打勇王府。七找八找，找到勇王府時，朱洪章的煥字營已經搶了先，他趕緊奔到信王府。捷字營的一部分人正在圍攻，他的部屬仗著人多勢衆，把捷字營趕走，將信王府裏三層外三層地團團圍住，再不許別人染指。信王府被打下了，果然金銀如山，財貨如海。蕭孚泗將財富分成三份。他自己獨占一份，剩下的二份，由手下的將官去分。將官們按官位高低，都得到不少財產。普通的勇丁，强悍的得到一些，弱的則撈不到，於是他們各自再四處打劫，凡能變換銀錢的東西，都入了他們的腰包。

蕭孚泗的那一份，少說也值四五十萬兩銀子，跟隨他身邊的侄兒蕭本道監督木匠做了一百個箱子，把這些財寶全部裝了箱。前向已先行運走了兩船。這次又在長江上雇了一隻堅固的大船，把剩下的五十個裝著金銀珠寶的木箱悄悄地運到船上。蕭本道又以重金在方山一帶買了三個年輕漂亮的女子，自己留一個，送兩個給叔父。接到上諭後，表面哀戚、內心快樂的蕭孚泗登上裝著五十箱金銀的大船，帶著侄兒和三個美貌的江南嬌娃以及幾個隨身親兵，告別衆人，起錨揚帆，溯江西上。

長江兩岸素來盜匪極多，蕭孚泗不敢大意，他把五十個木箱壘在後艙，上面用舊油布蓋好，並不容易被發現。他和侄兒及親兵一律作一般客商打扮。爲使船走得快些，他給船老板雙倍船錢，刺激船老板起早貪黑趕路，有時親兵也幫忙搖櫓。沿途停靠的都是大碼頭，船多人多，安全些。若實在沒有遇到大碼頭，船一停下，蕭本道就帶著親兵，衣藏利刃，在岸上通宵巡邏不睡。他們都是久經戰場本事超羣的漢子，一個能頂十個用。所以，從江寧開船以來一路順利，雖是逆水，一天也能走百二三十里，並不慢。這天上午，遠遠地看到九江城了。蕭孚泗心中歡喜，長江水路，三成走了將近兩成，再有七八天時間就到岳州府了；只要進入湖南，就可以放心了。

傍晚，船在九江碼頭停泊。蕭本道帶著兩個親兵上岸，買回了滷好的鷄鴨牛肉，扛一筐時鮮水果，捧一甖潯陽秋烈酒。船上的伙伕燒了兩條長江大青魚。滿船十多條漢子圍在一起，快快活活地喝酒吃肉，猜拳行令；三個江南女子也在一旁吃飯，看著他們取樂。

船上正吃得酒酣耳熱，岸上不知何時聚集了一支三四百人的隊伍，個個穿著整齊的綠營軍服，人人手裏執槍拿刀，當中一個游擊穿戴的騎一匹高頭大馬，橫眉冷眼地望著停泊在岸邊的上百條大小船隻。一個兵士高喊：「奉巡撫沈大人之命，所有停靠本碼頭的船舶，不論官船、民船、商船、貨船，統統檢查。若有抗拒者，一律拘捕法辦，不得寬容。」

船上的人無不感到意外。蕭本道緊張地望著叔叔，只見蕭孚泗神色自若，並無半點恐慌，大聲對衆人說：「來來來，我們喝我們的酒，他愛檢查就讓他檢查去，天要下雨，娘要嫁人，我們也管他不著。」

蕭本道見叔父這個神態，心裏略微安定點，但仍忐忑不安。盜匪打劫他不怕，怕的就是這種冠冕堂皇的奉命檢查，何況早就聽說江西巡撫沈葆楨天地不怕，鐵面無私，雖是曾國藩保荐上來的人，却不買曾國藩的帳，上半年打金陵的關鍵時刻，他不但不扶一手，反而當面踢一脚，險些壞了大局。萬一他們動眞的，木箱裏的東西露了餡，怎麼辦呢？他無心喝酒，把叔父拉到後艙，叔侄倆嘀嘀咕咕地商量了好一陣子。

「這條船是開到哪裏去的？」一個千總模樣的小官在岸上吆喝著，隨即便有十多個全副武裝的士兵，氣勢洶洶地踏過跳板上了船。

「老總，這船是開到岳州去的。」船老板慌忙出艙答話。說話間，千總也上了船。

「貨主在船上嗎？」千總問。

「在。」蕭本道忙走過去，一副謙卑的態度。

「裝的什麼貨？」千總綳緊著臉。

「沒有什麼，幾十箱瓷泥。」蕭本道爽快地回答。

「瓷泥？」千總奇怪地問，「是景德鎭的瓷泥？」

「老總，是這樣的。」蕭本道彎下腰說，「我們是長沙銅官瓷器工場的。上個月，一個先前在朝廷當大官的老爺，要爲老母慶九十大壽，向敝工場定做一百桌酒席的杯盤碗盞，每個器皿上都要燒上『恭賀慈母九秩大壽』八個字，只要做得好，錢價可以從優。敝工場老板爲這個老爺的一片孝心所感動，下決心要燒製一百套最好的餐具來。銅官有手藝好的窰師，但泥不好。老板特爲叫伙計們到貴省景德鎭，買了五十箱上等瓷泥運回銅官。老總，箱子裏裝的都是泥巴。」

千總走進艙，抽出腰刀來，挑開舊油布，露出碼得整整齊齊的五十只新木箱。他用腰刀在箱板上敲打著：「都是泥巴？」

「不錯，都是泥巴。」蕭本道面色怡然。

「撬開來看看！」千總盯著蕭本道，喝道。

「不懂事的小畜生，老總來了，也不好好招待。」蕭孚泗突然闖進艙房，對著侄兒罵道。

「這是家叔。」蕭本道對千總介紹。

「老總，這邊說兩句話。」蕭孚泗拉著千總的手，走到船艙後頭。他從懷裏掏出兩條三寸長的蒜條金來，塞進千總的腰包裏。「這點小意思，分給弟兄們買兩杯酒喝，請高抬貴手，包涵包涵。」

千總摸了摸腰包裏兩根硬挺挺的金條，心裏尋思著：這兩根傢伙怕有半斤重，若不分出去，自己下半世就足夠了，就是分些出去，得到的也是一筆可觀的財產。到手的橫財不要，那才是眞正的傻瓜，他箱子裏裝的什麼東西，關我屁事！

「老板，這箱子裏裝的眞是瓷泥？」千總緩下臉來，對著蕭孚泗又問了一句。

「老總，我們都是講義氣的漢子，還會害你嗎？放心交差去吧，箱子裏裝的全是上等景德鎭瓷泥！」

蕭孚泗敞開上衣，露出紋了一頭穿山豹的胸脯，哈哈大笑起來。千總一見，嚇了一跳：這莫不是一個江洋大盜！木箱裏裝的是鴉片，還是洋槍？他正想吆喝一聲，手指又碰上硬梆梆的金條，嗓門立刻啞了。他走出船艙，對著十幾個士兵，手一揮：「弟兄們，下船吧！木箱裏裝的是景德鎭瓷泥，我都看過了！」

待千總把士兵們都帶下船後，蕭孚泗又和衆人碰起杯來，高聲吆五喝六，全然不把森嚴戒備的這支人馬放在眼裏。奉命搜查的人都回去交差去了，岸上安靜下來，蕭孚泗座船上的猜拳行令之聲更加火熱。半個時辰後，岸上又亮起一隊燈籠火把，吵吵嚷嚷地沿著石磴而下，向江邊走來。船艙裏的人莫不感到奇怪：剛才檢查過的，爲何又來了？蕭本道放下筷子，說：「三叔，我上岸去看看。」蕭孚泗點點頭，心裏也有點納悶。

蕭本道上得岸來，只見來的人不如剛才的多，但從他們身上鮮明的甲胄來看，身分似乎要高些，馬也多了四五匹，爲首的是一位參將。蕭本道想：來頭不小呀，一次又一次的，究竟要幹什麼？只見一個騎在馬上的都司說話了：「大家都不要驚慌，實話告訴你們，前向京師的王爺遭强盜打劫，丟失了大批金銀珠寶。據偵察，這幾天要路過九江。為不讓强盜蒙混過關，苟將軍帶領弟兄們奉巡撫沈大人之命，再行搜查。這次只查大船，不查小船。」

說完，跳下馬來，其他幾個騎馬的武官也隨著跳下馬，各自帶著十幾二十個人，分頭向江邊幾條大船奔去，只有那個參將苟將軍仍端坐在馬背上，滿臉殺氣地監視著這場十分罕見的搜查。

蕭本道趕快向船上跑去。還沒有等他把所聽到的話對叔父講完，都司已帶領二十多個兵士凶惡地踏過跳板，來到甲板上。

「管船的是哪個，還不給老子滾出來！」都司見滿艙的人沒有一個出來接他，勃然大怒。船老大正要起身，蕭孚泗一把按住。他站起來，整整衣服，大搖大擺走出艙。

「你是不是聾子？老子帶了二十多個弟兄來到船上，你們沒有聽到聲音？」都司喝道。

「老總息怒，我的確有點耳背。」蕭孚泗滿臉笑容回答。

「這是我們都司向老爺，你要放明白點！」一個士兵瞪了蕭孚泗一眼。

前福建陸路提督心裏禁不住好笑，口裏說：「喲，眞的是有眼不識泰山，原來是向都司，怠慢了。」

「我沒有功夫和你囉嗦！你船上裝的是什麼東西，老實講清楚！」都司依然是惡狠狠的。

「船上裝的是瓷泥，剛才那位老總已經一一驗看了。」

「瓷泥？」都司大爲疑惑，「瓷泥是什麼東西？」

連瓷泥都不知道，蕭孚泗差點笑出聲來。他强忍著笑，說：「瓷泥，就是做瓷器的泥巴。」

「你把泥巴運到哪裏去？」

「運回湖南。」

「混蛋，你們湖南連做碗盆的泥巴都沒有？分明是在扯謊！」都司大聲斥責。

蕭孚泗吃了一驚，蕭本道和滿船男女也都吃了一驚。

「向都司。」蕭孚泗邊說邊走前一步，「我們湖南雖有做瓷器的泥巴，但不如景德鎮的好，所以到這裏來裝。」

「就是泥巴，老子也要看一看！」向都司轉過臉去，對士兵們下令，「都進艙去，把箱子統統打開！」

蕭本道一聽，臉都白了，急著要上前去制止，但三叔在與他們打交道，又不便自作主張。

「慢點，向都司，進艙去說兩句話吧。」蕭孚泗伸出兩隻手臂來，做了個阻擋的姿勢。他尋思著故伎重演，考慮到這個都司不好對付，蒜條金至少要加一根。

「有什麼話，就在這裏說吧！」

都司不吃這一套，倒是蕭孚泗沒有想到的。他楞了一下，又說：「我有一壜百年老酒，昨夜剛啓的封，向都司賞臉進艙喝一口吧！」

「百年老酒？」都司又驚又喜，「行，嚐嚐它的味道究竟如何！」

原來這向都司是個酒鬼，一聽說好酒，便口水流出，身不由己。蕭孚泗暗自高興，叫侄兒打開一壜從天京王府裏搶來的好酒，滿滿地斟了一大碗。都司接過碗，還未喝，先已被濃烈的酒香刺激得嗓子啞啞的。灌下一口後，連聲稱讚：「好酒，好酒！」說著說著，一碗酒已全部進了他的大肚子。

「向都司，實不相瞞，這壜酒是我的高祖在乾隆二十年埋在土裏的，至今有一百一十年了。今天是他老人家一百五十歲冥壽，我們多喝兩碗。」

蕭孚泗說話的時候，蕭本道又倒了一碗，都司二話沒說，咕嚕咕嚕地喝光了。蕭本道要再倒，都司擺了擺手：「不喝了，老子要辦公事。這樣吧，不要弟兄們動手了，你們自己打開吧！」

都司說著，便覺得有點頭暈，剛要坐下，被蕭孚泗攔腰扶住，一隻手從裏衣口袋裏摸出三根黃燦燦的金條來：「小意思，拿著吧！」

誰知那都司用手一推，說：「老子不要這個，你把那壜老酒給我吧！」

「行，酒也給，這點東西你也收下。」說著，便將金條朝都司身上硬塞。

「向開山，你這個龜孫子，鑽到哪裏去了！」一聲喝問傳來，隨即走進一個高大的漢子。

向開山睜開醉眼一看，嚇了一大跳：「苟、苟大人，卑職在這、這裏搜、搜查哩！」

苟參將皺了皺眉頭，一眼看見那隻打開了蓋子的酒壜子，惱火起來：「向開山，你居然在這裏喝起酒來，老子砍了你！」

苟參將衝上前，一把揪住都司的上衣。突然，手被那幾根硬金條碰著了。他鬆開手，從向開山的衣袋裏搜出三根金條來。「這是什麼？王八蛋，叫你帶人搜查，你倒受起賄賂來了。來人啦！」立時從艙外進來三四個人，「給我把向開山綁起來！」

兩個士兵拉著向開山出了艙。

「搜！給我翻箱倒櫃的搜！」士兵們如狠似虎地亂搜起來。面對著這突如其來的變化，蕭孚泗一點準備都沒有，略爲慌了一下，便很快鎮定下來。

「苟大人，這只木箱裏裝的都是金子！」一個士兵驚呼起來。

「苟大人，這只箱子裏裝的都是珠寶！」又一個士兵高叫。

苟參將過去，見打開的三只箱子裏裝的全是光彩奪目的金銀財寶。他眯起眼睛，皮笑肉不笑地走到蕭孚泗的面前，盯了好長一陣子後，猛地大喝道：「你們這伙無法無天的强盜，終於沒逃脫我苟某的手心！」說罷狂笑起來。

蕭本道衝過去高喊：「我們不是强盜！」

「不是强盜？」參將獰笑道，「贓物都在這裏，你還要賴嗎？」

「這不是贓物！」蕭本道繼續辯解。

「不要多說了！」蕭孚泗制止侄兒，對參將說，「你帶我去見沈葆楨吧，我有話當面對他說。」

「哼！好大的口氣，沈大人的名字是你叫的？」苟參將兩手叉腰，審視著蕭孚泗，「好哇，沈大人現在就坐鎮九江，你跟我上岸去見他吧！」

上岸後，蕭孚泗被送進九江兵備道衙門的一間小屋子裏，苟參將去稟報沈葆楨。一會兒功夫，便帶回了沈葆楨的指示：「這是一樁打劫王府的要案，必須回南昌去親自審理。所有贓物一律封好，連同船上男女，全部押到南昌去。」

蕭孚泗大怒，對苟參將吼道：「你去告訴沈葆楨那小兒，我不是什麼打劫王府的强盜，我是打金陵的首功大員！」

苟參將笑道：「我勸你還是老老實實到南昌去從實招供，好漢做事好漢當，不要冒充什麼攻打金陵的首功大員了。退一萬步說，你即使眞的是打金陵的湘軍，那班傢伙我們也知道，放火燒城，打家劫舍，比强盜也好不了多少！」

這幾句話，說得蕭孚泗火冒三丈，眞想割掉他的爛舌頭，心裏狠狠地說：「到了南昌，見過沈葆楨後再與你算帳！」

到了南昌的第二天，蕭孚泗被押上了江西巡撫大堂。只見寬大的廳堂裏氣象森嚴，兩旁肅立著十幾個手執水火棍的衙役，正中大几後面，端坐著身穿二品朝服的沈葆楨。這位林則徐的外甥兼女婿，素以不講情面著稱。此刻，他鐵青著臉，對著下面喊道：「所押何人，報上名來！」

蕭孚泗抬起頭來，盯著沈葆楨看了一眼，大聲回答：「沈大人，我是蕭孚泗！」

「蕭孚泗？」沈葆楨驚問，「你就是曾九帥手下那個封了男爵的蕭孚泗？」

「是的，我正是九帥手下節字營營官、前福建陸路提督蕭孚泗。」

「那你爲何不在江寧城裏管帶士兵，却跑到九江碼頭碰上了他們？」沈葆楨追問。

「老父上個月去世，我是回家奔喪的。」

「奔喪？那爲什麼船上還有女人？那五十箱金銀又是怎麼回事？」沈葆楨窮追不捨，並非因蕭孚泗自報了姓名而改變態度。

蕭孚泗急了，說：「沈大人，請到內室，我把一切都對你明說了。」

沈葆楨猶豫一下，說：「好吧，你隨我到簽押房來。」

沈、蕭二人，從前並沒有見過面。沈葆楨一待蕭孚泗坐定，便問：「你說你是蕭孚泗，有證據嗎？」

蕭孚泗從衣袋裏摸出一封信來，遞過去說：「這是我離開江寧前，曾中堂給我的一封親筆信。曾中堂的字跡，想必沈大人認得。」

「他的字我當然認得。」沈葆楨邊說邊從信封裏取出一張紙來。紙上寫著：孚泗賢弟痛失嚴親，謹備賻儀一百兩，祭幛一段，輓聯一副，以致哀痛。曾國藩泣拜。

沈葆楨忙把這封信重新插進信封，雙手遞給蕭孚泗，起身，整整衣帽，對著蕭孚泗作了一個揖，說：「果然是蕭軍門，下官失禮了！」對著門口高喊，「給蕭軍門敬茶！」

立刻便有一個小童進來，在蕭孚泗面前擺上一杯香氣四溢的茶。蕭孚泗端起茶杯喝了一口，說：「沈大人，卑職回家守喪要緊，請放我走吧！」

「蕭軍門，休怪下官唐突，委實是事先不知。」沈葆楨摸了摸下巴，慢慢地說，「九江碼頭的搜查，原是爲了捉拿欽命要犯。實不相瞞，苟參將把你帶到九江衙門時，下官以爲捉到了打劫王府的强盜，已把情況急奏太后、皇上了。」

「什麼？你問都不問一下，就上奏太后、皇上，豈有此理！」蕭孚泗憤怒起來。

「蕭軍門。」沈葆楨沉下臉來，「下官雖未審理，但五十箱貨物都一一驗看了，與朝廷下達的海捕文書相差無幾，故對此事已有八成把握。」

「你這樣做太荒唐了！」蕭孚泗氣憤已極，不是礙於國家律令，他眞想把這個可惡的沈葆楨狠狠地打一頓。

「荒唐？」沈葆楨拉長著臉說，「眞正荒唐的是你蕭軍門，而不是下官。下官問你，這五十箱金銀財寶是哪裏來的？」

「這不是我一個人的，這是節字營全體弟兄們的財產，由我帶回湖南老家。」蕭孚泗早已想好了答案。

「蕭軍門！你這樣回答，自以爲聰明，却騙不過世人。普天之下，都知道你們湘軍打江寧，把長毛的財產洗劫一空，每個將領都發了大財，你這五十箱財寶，就是一個明證。」

「沈大人，請你不要誤信傳聞，這五十箱東西的確不是我蕭某一個人的。」蕭孚泗的語氣已經降下來了。

「這件事，我也不和你爭辯。我再問你，你既然是回家奔喪，爲什麼帶著女人同船？」沈葆楨板起面孔問，簽押房裏的氣氛，並不比公堂來得和緩。蕭孚泗自知理虧，只好低下頭不做聲。

「老弟呀！」沈葆楨站起來，在屋子裏踱步，做出一副語重心長的樣子，「不要怪我責備，你委實做事太欠思量了。」

「好吧，就算我欠思量，你放我走吧！」蕭孚泗說，語氣中已帶有幾分求情的味道了。

「我怎麼能放你呢？你要在南昌城裏等候聖旨下來。」

「聖旨抓的是强盜，又不是我呀！」蕭孚泗膽怯了。他擔心事情再鬧大，收不了場。

「我不能放你！」沈葆楨堅決地說，「你一個堂堂二品大員，赴喪途中，挾帶女人和大批金銀，大悖國家律令。不讓我知道則罷，我既然知道了，就不得不上奏太后、皇上，聽候太后、皇上的處置。蕭軍門，委屈你了，你就在南昌城裏寬住半個月吧！我會好好款待你的。」

蕭孚泗已聽出了沈葆楨的話中之話，看來是有意衝他而來的，他有點失望了：「你眞的不放我了？」

「眞的不放！」沈葆楨立即答道，「蕭軍門，你或許還不知我沈某的爲人。我是一貫以舅父文忠公爲榜樣，辦公事六親不認。實話對你說，若不是你蕭軍門，而是江西地方文武的話，對不起，我早已將他撤職查辦，關進大牢了。」

蕭孚泗洩氣了，好半天才說：「既然如此，我就在南昌城裏候聖旨吧。你放我的侄兒先回老家去報個信如何？」

「那可以。」沈葆楨爽快地答應。「有什麼事，就交給你侄兒去辦吧！」

於是蕭孚泗把侄兒叫到身邊，吩咐他火速趕到江寧城，把事情的全部經過告訴曾國藩，請他設法打救。

第二天，蕭本道背著一個小包袱離開南昌，兼程趕到九江，坐上東下的快船，恨不得船如飛箭，立即就飛到江寧。不料越急越出事，中途又遇到了麻煩。

四　江湖竊賊洩露了僧格林沁的軍事部署

下水船快，蕭本道在船上心急火燎地過了五天五夜後，這天下午，船來到安徽和州境內的浮橋鎮。浮橋鎮是長江上一個不大不小的碼頭，有幾個客人要下船，船老大把船泊在碼頭邊。蕭本道想到此去江寧只有二百多里的水路了，明天午后就可以趕到，緊張了幾天的心緒略微放鬆。他打開船艙的木板窗門，把頭伸出窗外，眺望浮橋鎮的市井。

正看得起勁的時候，放在膝蓋上用左手壓著的包袱突然掉到船板上，發出沉重的響聲。他趕緊扭過臉來，把包袱拾起，恰與一中年漢子打了個照面。那漢子是個離船上岸的客人，長得深目隆准，瘦高精幹，臉上露出一種莫測的笑容，對他說了句「對不起」，便繼續向前走，很快就踏過跳板，上岸去了。「看來是他不小心碰掉了我的包袱。」蕭本道心裏猜測。他沒有多想，繼續看窗外的風景。

過一會，船開動了。又走了五十多里，天黑下來，船在離和州城只有十里路的橫江碼頭停泊。不少有錢的客人雇了車子，連夜趕到城裏去花天酒地，吃喝玩樂，也有人邀蕭本道。要是在往日，他必定會高高興興地去湊熱鬧，但眼下他沒有這個閑情。喝了幾杯寡酒，草草吃了夜飯後，便倒在舖位上睡著了。

不知什麼時候，蕭本道覺得自己身上似乎被觸動了一下。他睜開眼，船艙裏一片漆黑。他摸摸腰間，不好，包袱被人盜走了！他的這個包袱很貴重。原來，就在九江碼頭船上，士兵們已發現木箱裏的秘密時，蕭本道本能地意識到這些木箱要換主人了。他趁人不備，在一個放金元寶的箱子裏悄悄地取出八個金元寶。這八個元寶大小不等，大的重半斤，小的也有二兩。他把這八個金元寶放在包袱裏，隨身帶著。這次去江寧，他也帶上了。他懊惱了片刻，猛然想起賊一定走得不遠，於是趕緊走出艙外。

空中掛著半個月亮，江面夜色迷朦，什麼也沒有。他轉過臉朝橫江鎮上看去，遠遠地好像有個黑影在移動。他擦擦眼角，睜大眼睛，仔細再看。那裏的確是一個人，正在沿著石磴向鎮上奔跑。「賊娘養的，竟敢偷到老子頭上來了，眞正是太歲頭上動土！」蕭本道狠狠地罵了起來，縱身一跳，從甲板跳到岸上，抬起兩條飛毛腿追去。

蕭本道十七歲投奔湘軍，在軍營裏混了六年，練就了一身武功，也練就了一副膽量。追了一程，來到石磴腳下，那黑影已跑到石磴中部。蕭本道的腳步聲驚動了黑影，黑影回頭一看，知包袱的主人來了，便加快了速度。待蕭本道趕到石磴中部時，黑影已到頂部；蕭本道趕到頂部，黑影已沿著江邊的小路跑出一里之外了。

蕭本道絕不甘心這八個金元寶就這樣眼睜睜地被人偷走。他運足氣，咬緊牙，加快步伐。漸漸地，快要與黑影靠近了。這時，遠處響起一聲鷄鳴，天快要亮了。蕭本道想，若還不追上，天一大亮，就更難辨了。他又死勁跑一陣，看看只有十多丈遠了，便彎腰從路邊拾起一個鴨蛋大的卵石，向前面的黑影用力一擲。只聽得「哎喲」一聲，黑影仆倒在地。蕭本道快步跑過去，口裏罵道：「狗養的，把包袱還給我！」他正要上前奪包袱。只見那黑影突然飛起一脚，直向他的頭踢來。他沒有料到這一著，幸而久歷沙場，反應快，頭一偏躲了過去。就在這一瞬間，那人一個鷂子翻身，倏地從地上躍起，站立在他的對面，兩手握拳，擺出了個架式。

晨光熹微中，蕭本道看出那人背後斜背著一個包袱，那包袱正是他的！他氣得咬牙切齒，伸出拳頭來朝那人心窩裏打去。那人早有準備，身子一閃，機靈地出現在蕭本道的左側，對著他的左肩猛擊一拳。蕭本道沒有防備，痛得鑽心。他暗暗稱讚此人拳術好，忍痛還擊。兩人你來我往，打了幾十個回合。蕭本道趁著對方一個空隙，揚起右腿，向對方的胸脯猛踢過去。可惜蕭本道近來耽於女色，腿脚無力，對方飛起一掌，向他的脚趾砍來。蕭本道一陣疼痛，幾乎站不住了。

連吃了兩次虧，蕭本道知對方武功很好，硬打硬拼敵不過，便使出他蕭家的祖傳絕招——點穴術來。他看看天色，尚未過寅時，遂盯著對方左胸上部的中府穴。那人見蕭本道打不過他，兩隻拳越打越凶。蕭本道佯作招架不住，步步後退。那人開始大意了，拳出手也變得慢了。蕭本道瞄準他疏慢的瞬間，猛地豎起右手食指，直朝那人左肩下刺去。只聽見那人哇地叫了一聲，便仰天倒地昏迷過去。這時，東方已現出灰白色，天朦朦亮了。

蕭本道罵了一句「賊娘養的」，便彎腰去解那人肩上背的包袱。借著晨光，他終於看清楚了，此人正是昨天下午在浮橋鎮下船時碰掉他包袱的那個漢子。他突然明白，這是一個極有經驗的江湖竊賊，憑著包袱掉在艙板上發出的響聲，就已經弄清包袱裏的東西，再來半夜行竊。想到這裏，他搬起一塊石頭，向此人的腦袋砸去，一看那人深目隆准，相貌不俗，且武功極好，他又不忍心了。

蕭本道雖爲湘軍軍官，其實本性與綠林好漢、江湖竊賊相差無幾。在他的觀念裏，竊盜別人的財物並非可恥的行爲。假若他身邊無錢，又急需錢用的時候，他也可能做出攔路打劫、偷鷄摸狗的事來。現在，當這個竊賊倒在自己的面前，包袱已到手的時候，他又起憐恤之心。他丟掉石頭，一眼瞥見那人上衣袋裏有一塊鼓鼓的東西。他將那東西掏出，原來是一塊木牌。牌上用火燙出一行字：蒙古科爾沁親王僧格林沁帳下都司銜守備雲格。蕭本道一驚：此人竟是僧王手下的一名軍官！轉而又想，僧王駐軍山東，此人爲何到江南來了，不如把他救醒，問個詳細。他把木牌收起，在那人臍下關元穴上以手掌用力一推。一會兒，那人甦醒過來，想爬起，却渾身無力。蕭本道把他扶到一棵樹邊，讓他靠著樹幹坐定。那人說：「好漢本事高強，我瞎了眼，一時見財起意，不該偸好漢的包袱。」

蕭本道說：「你的功夫也不錯，我看你是個人才，不計較你，你叫什麼名字？」

「我叫李雲格。」

「一向做些什麼事？」

「也沒有個定准，跑跑買賣，幫人做做雜事，只要有錢賺，什麼事都幹。」

「哈哈哈！」蕭本道大笑起來，「你莫在我面前裝傻了，你看看這個。」

說著，亮出了木牌。那人大驚，下意識地摸摸衣袋，衣袋空空的。

「好漢既然已知我的身分，木牌還是還給我吧。」

「還給你不難，不過，你得將一切從實告訴我。」

「好漢要我說什麼？」雲格爲難地問。

「我問你，你是從哪裏來的？如今要到哪裏去？」

「我是從江西南昌來的，如今要到安徽滁州、泗州一帶去會僧王。」

「我聽說僧王駐在山東濟寧，你怎麼去滁州、泗州一帶去找他？」蕭本道覺得奇怪。

「好漢不知，僧王奉太后、皇上之命，已從山東南下了。」

蕭本道心想：他南下做什麼？近期並未聞安徽北部有大的軍事行動。又問：「你這次到南昌做什麼？」

「爲僧王遞一份緊急公文給江西巡撫沈葆楨。」

一提起沈葆楨，蕭本道就恨意頓起。這幾天在船上，蕭本道天天思忖著在九江被查封的事。若眞的是搜查打劫王爺府庫的強盜，爲什麼沿途未聽到一點風聲，更未見哪個來碼頭查詢？第一批人打發走後，又來第二批，停泊在碼頭上的上百條船，只有他家的這條船出了事。這不明明是衝著他家而來的嗎？沈葆楨爲什麼要這樣和他家過不去呢？背後是不是有人在支持、指使呢？當蕭本道一聽說僧格林沁有信給沈葆楨時，他馬上把僧格林沁與此事聯繫起來了。作爲湘軍的一名軍官，他知道僧格林沁一貫仇視湘軍。如此看來，是那個蒙古親王在指使沈葆楨查封他家的船了。蕭本道決心趁此時機，把這樁事弄出個究竟來。

「大哥，你身爲僧王帳下的守備，卻來偷我的包袱，看來你是手頭短缺。」蕭本道解開包袱，從中取出一個二兩重的金元寶遞過去，「拿去用吧！」

「這是你辛苦積攢的財產，我不能要。」在蕭本道豪爽的氣度面前，雲格爲自己的偷竊行爲而羞愧。

「大哥，你這就小家子氣了。」蕭本道把金元寶硬塞進雲格的衣袋，「天下金銀財寶，本沒有固定的主人，說什麼你的我的，這個元寶，先前不也是別人的嗎？」

這兩句痛快的話，說到雲格的心窩裏去了。他感動地說：「我眞是有眼無珠，不知兄弟你是這樣一條輕財重義的好漢。我要如何贖回我的罪過呢？」

「不必言贖罪，你告訴我，僧王要你送的是件什麼公文，他爲何又要南下。」

雲格望著蕭本道的眼睛，沒有回答。過一會兒，他反問道：「兄弟，你是做什麼的？」

「我嘛，實話對你講吧！」蕭本道裂開嘴巴，爽朗一笑，「我比不上你，是堂堂朝廷武官，我是長江上的私鹽販子。不過，幹的事雖不光明，爲人卻是磊落的，生性愛英雄事業，喜聞軍國大事。」

「豪傑！」雲格伸出大姆指稱讚。他轉了一下眼睛說，「僧王送給沈中丞的公文，我不知道，也不能問，更不敢拆開看。只是沈中丞接信的第二天，便親自趕到九江，後來就聽街頭巷尾紛紛傳說：沈中丞查封了湘軍大將蕭孚泗回籍奔喪的座船，在船上搜出幾十箱金銀財寶，還把蕭孚泗一伙押到南昌。也不知僧王的公文與此事有不有關係。」

蕭本道暗暗吃驚，忙問：「你見過蕭孚泗和他船上的那些人嗎？」

「沒有見過。我倒是想見見蕭孚泗，聽說他打金陵立了大功，又捉住長毛頭子李秀成，封了男爵，可惜見不到。」

蕭本道放心了，又問：「僧王從山東南下，是不是捻子在淮北鬧凶了？」

「不是。這點我倒是可以明白地告訴兄弟，僧王有次對江寧將軍富明阿說過，湘軍可能會造反，叫富明阿帶三千人先南下，駐守揚州，他自己隨後就帶大兵去安徽滁州、泗州一帶，湘軍膽敢輕舉妄動，他就充當統領，指揮駐鎮江的馮子材，駐和州的德興阿，駐揚州的富明阿，駐武昌的官文，東南西北團團包圍，一鼓聚殲。」

蕭本道的嘴角重重地抽搐了一下。這個自詡功臣的湘軍年輕軍官，做夢都沒有想到湘軍目前正處於這樣的危險境地。必須把這一重要軍情盡快告訴湘軍的統帥！看看日頭已出現在東方天邊，他坐的船就要起錨了，遂起身道：「大哥，時候不早了，船要開了，我與你就此告別，日後再相見。」

「兄弟，你留個名字吧，也讓我以後好打聽。」雲格說。

蕭本道略爲思考一下，說：「你要找我很容易。長江上下，只要遇到裝鹽的船，問聲蕭拐子，無人不知。大哥以後要是缺銀子，盡管來長江碼頭找鹽船。」說完，將木牌子還給雲格。

結識了這位富有而慷慨的私鹽販子，雲格很高興，接過木牌後，又補充一句：「兄弟日後若有用得我雲格的時候，只管到僧王老營來找我。」

「行，後會有期！」蕭本道說完，背起包袱，撒開兩條長腿，朝橫江碼頭飛奔而去。

五　藉韋俊之頭强行撤軍

曾國藩、趙烈文、彭壽頤聽完蕭本道這番敍述後，一時都不知說什麼好。過了好一陣子，彭壽頤才憤憤地吐出一句話：「僧格林沁、沈葆楨欺人太甚！」

趙烈文托著腮幫子說：「看來，官文來江寧城追查所謂的哥老會，與蕭軍門的座船無故被查封，以及僧格林沁的南下，三件事是聯在一起的，矛頭都是對準湘軍，尤其是對準吉字營的。」

「惠甫想得深。」彭壽頤說，「不過，官文、沈葆楨都是封疆大吏，僧格林沁雖是親王，也無權指揮他們呀！」

「是的。」趙烈文點點頭說，「背後一定還有人在指揮他們。」

蕭本道睜大著眼睛望著趙、彭，欲言又止。「惠甫不要瞎猜測。」曾國藩已明白趙烈文所指，但夾著蕭本道在這裏，不便再深談下去，揮手道，「你們都出去，讓我安靜一下。」

「老中堂。」蕭本道急著說，「我三叔還在南昌哩，沈葆楨那裏，還求你老給他打個招呼。」

蕭孚泗惹出的麻煩，不僅使他自身陷於困境，也給湘軍招來禍端。全國都在說吉字營將金陵洗劫一空，放火焚燒是為了毀滅罪證，自己給太后、皇上上奏，為他們力辯其誣。可現在呢？五十箱金銀，在新封男爵的座船裏被當場拿獲，盡管你說一百遍、一千遍這是節字營衆人的財產，又有誰會相信呢？即便是衆人的財產，先前不是說過金陵城裏全無金銀嗎？這如何自圓其說呢？何況，重孝期間，携帶江南女子同船，這中間的事情，能解釋清楚嗎？蕭孚泗呀蕭孚泗，你也眞是糊塗到家了！幸而蕭本道此來提供了僧格林沁的軍事部署，若不看在這個份上，曾國藩眞要狠狠地訓斥一頓了。他冷冷地對蕭本道說：「你們這是自作自受，我有什麼辦法！」

蕭本道哭喪著臉說：「老中堂，你老若不管，那滿船的東西都會叫沈葆楨奪去了！」

趙烈文安慰道：「諒沈葆楨也不敢。你不要著急，老中堂會有辦法的。」

「奏稿還擬下去嗎？」彭壽頤問。

曾國藩思索片刻後，說：「暫不要擬了。」

待趙、彭、蕭退出後，曾國藩拿起筆來，蘸著朱砂，走到牆壁上的掛圖邊，在鎮江、揚州、和州、滁州四個地方各自畫了一個紅圈，然後凝神呆望著。望著望著，他的眼睛漸漸模糊起來，眼前出現四張血盆大口，露出猙獰的獠牙，從東南西北四個方向向江寧猛撲過來；遠處，武昌、南昌、杭州也亮起了陰綠的幽光，彷彿還聽見了磨牙礪齒的聲音。他覺得頭在發暈，勉強移步來到案桌邊，靠在椅背上，朱砂筆掉到地上，他也無力去拾起。筆尖周圍浸出一圈紅紅的痕跡，他看著，像是自己嘔出的一灘血。很長一陣子，他才清醒過來。

這些日子接二連三發生的一連串事，顯然不是孤立的，趙烈文都看出來了，曾國藩能看不出來？他寧願相信不是這麼回事，但現實又充分證明了趙烈文的推斷是正確的。是的，僧格林沁不能指揮官文、沈葆楨，他自己的南下，也不是全由他個人作主的。那麼，能指揮官文、沈葆楨和僧格林沁的是誰呢？答案沒有必要挑明了。此時的曾國藩，不再像幾個月前那樣的恐懼。他細細地思考著：他們用的手段各有不同，官文是誣陷，沈葆楨是揭短，僧格林沁是威懾，三管齊下，意欲何爲呢？有兩種可能。一是借此將他兄弟和整個湘軍打下去，歷史上司空見慣的大功告成、功臣誅殺的悲劇再演一次；一是以此敲敲他的腦袋，讓他意識到所處之環境對他並非有利，識相點，盡快撤掉湘軍。兩種可能性都有，孰大孰小？曾國藩陷入了沉思。

眼下江寧雖克，太平軍餘部尚有二十來萬，安徽、河南的捻子勢力很大，西北回民的騷亂多年不止，國家尚未太平。在這種情況下，將立有大功而並無造反事實的湘軍全部打下去，豈不會令各地其他帶兵將領有兔死狐悲之感？朝廷目前大概還不至於做出這般蠢事來。這是其一。其二，自從富明阿走後，朝廷再未派人到江寧來認眞調查太平軍所遺留下來的金銀財寶的下落，似乎有不予追究、網開一面之意。其三，就在蕭孚泗走的前些日子，曾國荃的座船也從九江駛過，他的船比蕭的大，裝的東西也比蕭的多，沈葆楨沒有藉口查他的船，是否朝廷有意給曾家留點面子呢？分析了這三條後，曾國藩認爲，打殺的可能性不大，藉此逼迫他裁軍則是主要的。想到這裏，他心裏升起一股極大的委屈感。

曾國藩早就明白地奏報要裁軍，只不過暫時推遲一下而已，朝廷何以便如此急不可待，視湘軍爲眼中釘、肉中刺，非欲拔之而後快呢？即便要這樣做，堂堂皇皇地下道御旨不很好嗎，爲何要行此卑劣陰險的伎倆呢？他爲朝中最高決策者這種有失君子風度的做法感到氣悶。轉而他又想，歷史上所有號稱有作爲的君王，哪一個又沒有陰一套、陽一套、君子一面、小人一面呢？對照自己，自從離開翰林院，進入六部衙門以來，尤其是這些年帶兵打仗，在與各省督撫、各處統兵將領間的周旋之中，陰的一面、小人的一面幹得還少嗎？更何況，大清自立國以來，軍隊一直掌握在朝廷手中，現在一下子有十幾萬軍隊由私人招募組建，他們能征慣戰、驕橫跋扈，如山如海的財富可以隱瞞不報而據爲己有，如錦如繡的六朝古都可以一炬焚之而棄之不惜，這樣一支軍隊偏偏又掌握在漢人手中，朝廷能不擔心嗎？不撤掉它，太后、皇上能甘食安寢嗎？這樣一想，曾國藩釋然了，心中的委屈感大大減弱。他決定以異常鎮定的姿態，對官文、沈葆楨不採取任何行動，安安靜靜地在江寧城裏等候著太后、皇上對蕭孚泗一案的處理。他推測不致於給蕭太大的難堪。萬一事出意外，爲了曾國荃和吉字營的聲譽，也爲了他自己的聲譽，他將要爲蕭孚泗一辯！

曾國藩的態度，蕭本道一無所知。想起拘押在南昌的三叔和那一船財產，他便惶惶然不可終日，隔一兩天便到督署來一次，請曾國藩接見他。每次照例都被門房阻擋，怏怏而回。如此過了十來天。這一天，蕭本道又來到督署大門口，正徘徊不敢向前時，門房看見了他：「蕭都司，總督大人昨天關照過，說你今天可以進去。」

將官和勇丁，幾乎人人都在談論裁軍的事。從心情上來說，有不少人願意早日脫下戎裝，回籍與家人團聚。這些人中，有的是年歲大了，厭倦軍旅生涯；有的是打金陵時發了大財，急於回家去做財東地主；也有的從軍十多年，經事多了，閱歷廣了，對連年無休無止的戰爭的思考也逐漸深化起來，尤其是金龍殿前那場亙古未聞的自焚悲劇，更強烈地刺激了他們：都是骨肉同胞，爲何要這樣你死我活地互相殘殺？他們不可能得出什麼明確的答案、合理的解釋，只有離開了事，如此，心靈方可平衡一些。

但也有相當多的人不想離開湘軍回原籍。多年的軍營生活養成了他們飄泊、冒險、嫖賭、鬥毆、吃現成飯、用大把錢的習氣，他們不屑於再做單調、貧寒、勤儉、規矩的鄉下佬。這批人多爲沒有搶到大量錢財的普通勇丁。至於將官，則幾乎無人贊同撤軍。將官的威風，來源於他手下成百上千的勇丁。一旦撤離了軍營，回到老家，昔日的威風便大半丟掉了。就連一個小小的什長，在軍營裏也管十個俯首帖耳的弟兄，回家後，哪來的這些人聽他的支派？因爲這些原因，撤軍的命令下達十來天了，江寧城內外數百個營哨，沒有一點執行命令的跡象。社會秩序反而更壞了。搶劫、羣鬥、殺人、放火、強姦、濫賭等惡性事件到處發生，全都是吉字營勇丁作的案。各級軍官不但不管束，反而參與其事。

吉字營統帥曾國荃原本就不贊成大哥這種自剪羽翼的做法。這個從小就在荷葉塘出了名的犟九爺，一貫認爲天地間是强者的世界，而亂世中的强者，就是握刀把子的人，有了刀把子就有了一切。當年，他就是憑著這個信念積極募勇建營，奔赴與太平軍作戰的前線，而且也用這個信念去教育他手下那批營官哨官。這些年來他已嘗到了手握刀把子的甜頭，豈願輕易丟棄？況且大哥的自剪羽翼，第一刀便是要剪掉吉字營。眼下長毛未淨，捻亂方熾，正可利用這個作爲藉口，加强湘軍力量，擁兵自重，即使不想造反，也不能讓別人欺侮自己呀！

曾國荃這個觀點在吉字營中有著深厚的思想基礎，正是代表了各營新貴們的想法。現在，盡管統帥已離開軍營回籍，部屬們仍奉行這種觀念。死的死，走的走，吉字大營留在江寧城裏受封職位最高的要算騎都尉朱洪章了。於是彭毓橘、劉連捷等人推舉朱洪章到督署，抬出欠餉一項來與曾國藩攤牌：撤軍可以，但先得拿出一百萬銀子出來，把欠餉發下，否則，對不起提著腦袋血戰多年的弟兄們。曾國藩明知吉字營官勇有的是錢，根本不在乎這點欠餉，但又不能點破。在朱洪章貌似充足的道理面前，曾國藩竟然一時語塞，因爲他根本就籌集不出這筆巨款來。

朱洪章占了上風，回去一鼓動，吉字大營官勇們抗拒撤軍的勁頭更足了。他們借酒撒野，有的破口大罵朝廷忘恩負義、過河拆橋，有的甚至公開揚言要扯旗造反。曾國藩面對這種混亂局面，又恨又怕，心中煩躁不安。幾天後，他收到了李鴻章的信和閩浙督署的公函。

李鴻章的信竭力恭維恩師此舉爲曠代奇聞，上合天心，下孚衆望，務必排除萬難堅決進行下去，以達到預期目的。又說淮軍理應效法湘軍大量裁撤，只是目前各營都在追殺長毛餘部，還不到撤的時候；且恩師當年說過，要以淮民平淮捻，淮軍作爲淮民的團勇，不能須臾忘記自己的職志，待到天下又安，干戈化爲玉帛之時，他一定要把全部淮軍一個不留地撤掉。

湘軍統帥的高足，與他的恩師既有相像之處，更有不同之處。他不畏人言，辦事也沒有太多的顧慮。他親手創建的淮軍，決不能在自己的手裏撤除，也不容許別人插足。在他的眼裏，淮軍正好比麗日中天，興旺已極，且今後還有大顯身手的時候，如何能撤？至於以後全部撤退云云，那不過是附和恩師心思的幾句漂亮話而已，原不是他的本意。恭維撤軍的背後，深藏著他自己的一套如意算盤：湘軍撤除了，今後淮軍便獨步天下，再無抗衡的力量了；況且還可以趁著這個時機，把湘軍中那些會打仗的將官吸引到淮軍中來，千軍易得，一將難求，這眞是淮軍壯大的良機！

閩浙總督衙門的公函說的全是左宗棠的話：楚軍別是一軍，受朝廷節制，與湘軍無關，撤軍是湘軍的事，楚軍不過問，亦不會仿效；撤與不撤，當以朝廷下達的聖旨爲斷。

曾國藩撤湘軍，原本就不指望淮軍和楚軍效尤，這兩封函札，並沒有對他產生影響，倒是吉字營將官的反對和城裏勇丁的胡作非爲，引起他的嚴重不安。張運蘭、蕭啓江來到江寧，訴說撤軍的千難萬難。老湘營、果字營的欠餉更爲嚴重，官勇們揚言，朝廷若不補足餉銀，他們就不離開軍營。

鮑超從閩贛邊界之地飛馬來江寧。他對曾國藩說，前不久趙烈文奉命表示霆軍暫不撤，現在忽然又要撤了，大家都沒準備，而且還有一半的欠餉未發，如何向弟兄們交代？

淮揚水軍統領黃翼升、寧國水師統領李朝斌也乘快艇前來稟報：水師官勇一貫淸苦，長期在水上栖息，大部分都染上了風濕病，如今要裁撤回籍了，弟兄們提出兩點要求：一是補足歷年欠餉，二是發放一點傷病費，以便老了不能種田了，能有一口飯吃。曾國藩聽了心裏冷笑：欠餉都不能補齊，何談傷病費！水師有傷病，陸軍就沒有傷病？

湘軍的裁撤是如此艱難，使兩江總督一等侯又一次陷於困境。但無論從哪方面來說，裁撤一事都是勢在必行，決不能有絲毫動搖，也再不能像前段時期那樣暫緩了。曾國藩將各種阻擋裁軍的因素一一作了分析，認爲無銀子補足欠餉固然是一個很重要的因素，但不是決定的因素。湘軍各個軍營都有欠餉，這是事實。不過，他心裏有數：這些年來，有幾個勇丁不發財的！將官就更不用說了。財路來自於搶掠和打勝仗時的戰利品，幾兩銀子一個月的薪水，對他們來說實在是很次要的。決定的因素在於各級將官情緒上的抵觸，是他們本身不願意撤。撤了，他們既失去了權柄，也失去了繼續發財的機會。對於這批頭腦簡單的武夫，道理講得再多都是空的，起作用的只能是嚴刑峻法。

嚴峻到哪層地步呢？曾國藩緊鎖三角眉，在書房裏踱步思索。突然，他想起了十年前在王衙坪接受船山後裔贈劍的席上，老岳父送給他的那首古劍銘：「輕用其芒，動即有傷，是爲凶器；深藏若拙，臨機取決，是爲利器。」心裏頓時有了主意。

湘軍建軍之初，爲培植嚴肅的軍紀，曾國藩忍痛殺了金松齡，在自己人的頭上，毅然動了第一刀。此事在湘軍中引起極其强烈的震動，曾爲早期湘軍軍紀的維護起了重要作用。但同時，曾國藩本人的心靈也很長時期深爲不安，後悔自責過多次，並暗地作出決定，這種殺戮不可多用。從那以後，在自己人的面前，他將這把統帥權利之劍便深藏若拙了。現在看來，不殺個把高級將領，裁軍便會推行不下去，他要臨機取決，動用第二次了。

拿誰的頭顱來作號令呢？他在心裏一個個排了隊。反對最烈、鬧得最凶的是吉字營的朱洪章、彭毓橘、劉連捷這些人，他們都是第一批衝進金陵城的大功之人，蒙受皇上天恩重賞的英雄，豈有殺他們的道理！霆軍功震天下，刀也不能架在鮑超的脖子上。張運蘭、蕭啓江都是復出初期的擎天之柱，且一向忠心耿耿，只有功勞沒有過錯。殺他們，等於砍自己的手脚。就這樣排來排去之後，排出了一個人來，此人就是駐紮在廬州府、至今尚未來稟報的正字營統領韋俊。他覺得韋俊的頭顱，是最適宜借來一用了。曾國藩並非完全是爲了眼前的急需，實在地說，這些年來，他對韋俊的懷疑、戒備從來沒有消除過。

韋俊獻池州府投降湘軍後，曾國藩把他派到安慶前線，暗地囑咐曾國荃把他置於與太平軍作戰的前沿。曾國荃對韋俊是又疑又懼，便把他安排在安慶戰場的北部，專用來打太平軍援安慶的部隊。一個月前還是天國的左軍主將，而現在卻對曾經同生死共患難的弟兄舉起了屠刀，韋俊的良心受到了沉重的譴責。那一聲聲「叛徒」「反草惡鬼」的咒罵聲，不斷從對方的營壘傳來，擾得韋俊和他的一班子心腹們神魂不寧、羞愧難忍。終於，血氣方剛的韋以德忍不住了，他背著韋俊，聯絡幾個弟兄，憤恨地脫下湘軍的衣帽，在一個漆黑的夜晚，騎著快馬，揚鞭離開軍營，企圖西去湖北，再轉道回廣西老家，却不料被吉字營的哨兵發現了。曾國荃派出一支百人輕騎，將韋以德等人抓了回來。韋以德和他的弟兄們並不隱瞞自己的行徑，曾國荃氣得要以臨陣脫逃的罪名斬首示衆。慌得韋俊急忙派人去東流向曾國藩求情。見到大哥的親筆信後，曾國荃才勉强放了人。

曾國藩洞悉個中緣故。恰好那時壽州練總苗沛霖與在籍辦團之員外郎孫家泰構仇，圍攻壽州城，他便把正字營調到壽州征討苗沛霖。四年來，韋俊先是打苗，後來又打捻，雖未大敗過，却也只是戰功平平，全沒有昔日兩下武昌、雄踞池州府的氣概了。韋以德的出逃，以及整個正字營這幾年打仗的勁頭，使曾國藩對韋俊更爲懷疑。沒有得到應有重視的韋俊，一直心情鬱鬱；正字營也便成了湘軍中裝備最差、欠餉最多的後娘崽。韋俊因此對曾國藩不滿。接到裁軍命令十天了，他仍按兵不動，也沒有去江寧稟報。

這天，一封從江寧來的急件遞到廬州府軍營。韋俊拆開看時，正是曾國藩催他前去稟報，並關照他帶上康福送的那副棋子，晚上要和他圍幾局；又說江寧雖有上好的棋子，總不及那副的親切，見它如見康福。曾國藩眷念故人之情使韋俊想起了當年勸他投降的康福。

這些年來，韋俊在湘軍中過得並不順心，他看出曾國藩始終沒有眞心待過他，表面上還算客氣，骨子裏却很冷淡。至於湘軍其他將官，則連表面上的客氣都沒有。在軍事會議上相遇時，他們都以一種鄙夷的眼光看著他，常常令他尷尬。只有康福例外。康福對他和以德總是很熱情，這種熱情出自眞心，不是做作。康福甚至還專程去壽州看過他。韋俊對康福談起自己的苦惱，並說程學啓在李鴻章那裏混得很好。康福說：「如果實在不想在湘軍呆下去，我可以跟李鴻章說說，正字營乾脆到淮軍那裏去算了。」韋俊感激康福夠朋友。後來，聽說康福戰死在金龍殿前，他心裏很傷感。裁撤湘軍的命令下達後，他也不樂意裁軍。他的心情與湘軍其他營官的心情不同。除霆軍外，湘軍其他軍營都由湖南人組成，回籍則回湖南。湖南是湘軍的故鄉，他們回籍將會受到英雄凱旋的待遇。他的原籍在廣西。廣西是太平軍的故鄉，那裏的父老鄉親熱愛的是太平軍，對湘軍有不共戴天之仇。他，一個太平軍的叛徒、湘軍的走狗，有何顏面回廣西去？廣西的城鎮鄉野，又哪裏有他的一席安生之地？韋俊想到這裏，心情很悒鬱，暗中作了決定：一旦正字營解散，他就帶著妻兒子女和侄兒遠走他鄉，從此隱姓埋名，了結一生。懷著一種複雜的心情，韋俊帶上康家祖傳棋子，匆匆趕到江寧城。

「韋將軍，裁軍一事辦得如何了？」幾句寒暄後，曾國藩便進入了正題。

「回稟大人，此事尚未辦。」韋俊回答。

「爲什麼？」曾國藩的語調顯得嚴厲起來。

韋俊已覺氣氛不善，說：「弟兄們有些事想不通，都不願意就這樣離開軍營回籍。」

「韋將軍，你可能不明白，湘軍是團練，非朝廷經制之師，沒有長期存在的道理。仗打完了，就應當解散回籍，哪有什麼想得通想不通的！」曾國藩的面孔明顯地冷下來，「你應該執行我的命令，立即做好全營撤除的安排。」

韋俊沉默著，沒有做聲。

「你說有些事想不通，是哪些事？」曾國藩似乎有點不耐煩地催問。

「大人。」韋俊鼓了鼓勁，說，「弟兄們都說，四五年來，正字營收復壽州，打敗捻寇，立下的戰功不少，但得到保舉的則不多。大家請大人向朝廷上個摺子，爲那些積年苦戰的老弟兄們求個職銜，今後回家去，臉上也風光些。」

韋俊這話說的是事實。正字營五千人中有一半是跟著韋俊投降過來的，每次打完仗後，韋俊都上報一個保舉單，列上長長的一串名字，保的都是他那批從廣西過來的老弟兄，韋俊想以此來籠絡他們。但每次單子一到曾國藩的手裏，便被卡住了。其他軍營報來的保舉單，曾國藩都原封不動地報到朝廷，唯獨對正字營不同。曾國藩極不情願讓這些老長毛升官受賞，他只從中挑選二三成上報，而且還要把韋俊原擬的職銜都降一二等。正字營的將官們跟別的營一比，心裏不服氣，口裏大出怨言。久而久之，韋俊終於看出了曾國藩的心思，一種屈辱感沉重地壓著他。他不死心，企圖最後一次爲部屬們爭取。

「笑話！」曾國藩從鼻子裏哼了一聲，冷笑道，「正字營最近未立軍功，如何能上報保舉單？朝廷視名器極珍，豈能像你從前那個僞天王一樣，濫封濫賞，毫無一點章程！」

韋俊聽了這話，腦頂上如同擊了一棒似的，嗡嗡作響，好久才清醒過來，說：「不上保舉單可以，弟兄們說，正字營前前後後死了三百多人，傷了一千多，撫恤銀三成未拿滿一成，從今年春天開始就沒有發餉銀，至今整整欠了七個月。兩項加起來，少說也欠了二十萬兩銀子。弟兄們說，補足了銀子就撤軍，否則的話——」

「否則怎樣？」曾國藩脖子上的青筋已一根根鼓起來了。

「否則他們不繳軍裝器械。」

「混帳！」曾國藩一巴掌打在案桌上，把韋俊驚了一下。「不繳軍裝器械，豈不是蓄謀造反！韋俊，對這些混帳東西，你是如何處置的？」

韋俊到底不是儒弱之輩，曾國藩凶橫的態度，大大地刺傷了他的自尊心，加之又長期心懷不滿，他重重地頂了一句：「卑職沒有處置他們，卑職認爲他們說的有道理！」

「你說什麼？」曾國藩怒火中燒，瞪起兩隻發紅的三角眼，吼道，「蓄謀造反還有道理？」

這是公然的歪曲！韋俊一時沒有覺察出曾國藩說這話是有意引他上鈎，果然怒不可遏，刷地站起來，嗓門也變了：「他們沒有造反，這是強加給他們的罪名。正字營備受歧視，弟兄們早已忍耐不住了！」

這一句話，把曾國藩蓄意殺韋俊的時刻推前了一大步。他心裏想：「『早已忍耐不住了』，這話明明是要出大亂子的信號，他們的確是賊心不死。事不宜遲，今天就要下手！」

曾國藩雙手叉在腰間，把韋俊死死地盯著。韋俊並不害怕，平靜地站在原地，頭也不低下。曾國藩越看越覺得眼前這個謀勇兼資的原天國主將，渾身上下都長滿了反骨。是的，這個人不能留下，不只是裁撤湘軍要借他的頭顱來懾衆，尤其重要的是大清王朝的長治久安，也需要他身首異處。

「來人啦！」隨著曾國藩一聲高喊，立刻上來四個著戎裝掛腰刀的武弁。「給我把這個破壞裁軍、蓄意謀反的亂臣賊子拿下！」

韋俊直到此刻，才終於完全看清了曾國藩的眞面目。他爲自己當初的選擇感到深深的悔恨。但事已至此，後悔已晚了，他只希望侄兒以德能逃脫曾剃頭的魔掌。

韋俊的希望落空了。第二天，趙烈文帶著百名全副武裝的騎兵，從江寧出發趕到廬州，將韋以德騙到驛館，立即拿下，並曉喻正字營全體官勇，此事與他們任何人都無關係，不要人人自危。

韋以德押到江寧城的第二天，全城便到處貼滿了蓋有「協辦大學士兩江總督一等侯」紫色長條關防的布告，上面赫然寫著：「原正字營統領韋俊、分統領韋以德抗拒裁軍，圖謀造反，已奏明朝廷，予以正法。」在兩江總督衙門的告示壁上，不僅貼了一張特大號告示，而且旁邊還豎起了一根高高的旗杆，上面懸掛著韋氏叔侄的兩顆怒目圓睜的頭顱。至於那盒被韋俊帶來的康氏祖傳棋子，曾國藩却將它珍藏起來。

曾國藩的這一絕招果然有用。從那天開始，吉字營、老湘營、果字營、霆字營以及長江水師、淮揚水師、寧國水師、太湖水師的將官們，都不敢公開反對裁軍了，勇丁們的撒野胡來也有所收斂，各軍營開始制定分批裁撤的具體部署。幕僚們也對欠餉的難題提出了許多解決的辦法。曾國藩採用了其中的兩條。一條是以票抵餉。奏請戶部同意，發放分期兌現的銀票，持此銀票者二十年內可在本州縣取回全部欠餉，並依年生息。這樣，既安了勇丁們的心，也解決了國家一時拿不出大批銀子的困難。二是以鹽抵餉。那時湖南不產鹽，百姓食用鹽，正宗來路是淮鹽，走私的是粤鹽。無論是淮鹽還是粤鹽，在湖南出賣的價錢都很貴，普遍在產鹽區的十倍之上，偏遠山溝裏甚至高達二十倍。以一兩銀子的鹽抵七八兩銀子的欠餉，勇丁們把鹽運回去，還可以有點賺頭，他們也樂意。這樣也緩解了銀兩不足的困難。

殺鷄給猴子看的血腥手段，再輔之以解決欠餉的具體可行辦法，終於使得湘軍的裁撤付之於行動了。江寧城內城外的吉字大營各個軍營開始動作。下關碼頭江面上，舟船大量增加，那些本來就急於回家當財東、過安樂日子的官勇們，已有不少在起錨揚帆了。

六　英雄不可自剪羽翼

與此同時，曾國藩以傳遞攻克金陵捷報同樣的速度，將裁撤湘軍的情況奏報太后、皇上，並特意强調殺了抵制撤軍、意欲不軌的正字營統領、投誠過來的前長毛將領韋俊，目前裁撤湘軍一事正順利進行，十二月底將全部完成，十五萬湘軍水陸兩支人馬，屆時只剩下一萬人，若朝廷還嫌多的話，連這一萬人也可不留。

不久，鑒於西北回民的亂子越鬧越凶，朝廷任命楊岳斌爲陝甘總督，克日赴任。離江寧前夕，他特來向曾國藩辭行。

「厚庵，你這次由武職改授文職，眞是異數。」這個由他一手提拔，十多年來統領長江水師，爲湘軍最後攻克江寧立下了汗馬功勞的部下，今天居然能在剛過不惑之年便位爲一方總督，曾國藩爲楊岳斌的仕途順遂而高興，也爲自己當年識英雄於風塵之中的眼力而欣慰。他注目看了看楊岳斌眉宇間那顆黑痣。黑痣圓潤飽滿，憑著曾國藩的相人理論，他相信這個年輕的總督正在好運之中。

「老中堂，當年若不是你老的指點，我哪有今天，我的一切都是你老栽培的結果。」楊岳斌書讀得不多，是個性情厚實的人。曾國藩這些年來對自己的信賴、器重，他一直深深地感激。他統領外江水師，與太平軍殊死拼搏，與其說是盡忠王事，不如說是對曾國藩個人的感恩。而這一點，曾國藩早在水師創建之初便已看出端倪，所以歷次戰役中對楊岳斌保舉都從優，也因此而有他的今天。

「太祖以武功開創天下，八旗子弟向以刀馬功夫定優劣。入關之後，採納范文程的建議，推崇孔孟，開科取士，以藝文教化士民。自那時起，文職便高於武職。以武職改授文職的事極爲罕見，在你之先，只有三例。」曾國藩右手緩慢地梳理垂在胸前的長鬚，以慈愛的眼光望著楊岳斌，「一例是順治朝徐湛恩以侍衛改郎中，一例是乾隆朝黃廷桂以提督改總督，一例是嘉慶朝楊遇春以提督改總督。兩百多年來，你是第四例由武職改任文職的人。厚庵呀，你可要好自爲之。」

曾國藩父親般的關懷使楊岳斌激動萬分：「卑職一定牢記老中堂的教誨，不負聖恩。」說著，打開隨身帶來的包袱，從中取出一個布包來，充滿感情地說，「卑職此去陝甘，路途萬里，不知何時再得相見。這裏有一件護身坎肩，送給老中堂，就算是卑職離別時的一點小禮物。」

「厚庵，你這是做什麼？」曾國藩停止撫鬚，但並沒有伸手去接楊岳斌遞過來的布包。

「老中堂，卑職知道你老平生不受禮，也不喜歡送禮的人，故卑職十多年來身受大恩，卻一文禮物未送，但這次不同，請你老務必賞臉收下。」

見楊岳斌說得懇切，曾國藩這才接過包袱。打開布包看時，只見鹿皮坎肩上，魚鱗般地布滿了薄精鋼片，銀白色的光芒照得他幾乎睜不開眼睛。「厚庵，你雖改文職，畢竟是武將出身，此去陝甘，仍要帶兵打仗。這樣好的護身坎肩，穿在你的身上作用大，送給我有什麼用！你還是自己留著。」曾國藩把坎肩包好，遞了回來。

「老中堂請聽卑職說明。」楊岳斌忙以手攔住說，「卑職還有兩件護身坎肩，足可在戰場作防身之用。這件之所以送給大人，一來是它輕軟，大人體弱，笨重的坎肩不宜；二來這件坎肩乃家父留下來的，意義不一樣。大人，你老雖不上戰場，但也要提防刺客。」

曾國藩想起幾次遇刺的往事，深覺楊岳斌的話有道理，遂不再推辭：「這是令尊的遺物，我收下心中有愧。」

「其實，這也不是家父的東西，家父給我這件坎肩時，說起了它的來歷。」

「它的來歷如何？」曾國藩很有興趣地問。

「這件坎肩本是一個護排鏢師的。」楊岳斌慢慢地說，「三四十年前，湘江上有一個很有名氣的護排鏢師。他武藝高强，爲人耿介，手下有十個本領好的徒弟。鏢師被湘江上第一富有的排主所雇請，多年來往返於衡州、長沙、漢口之間，從來沒有出過事，沿途强盜都怕他。後來，老排主死了，少排主掌舵，不喜歡鏢師的直爽脾氣，加之鏢師也老了，幾次想辭掉他，只是見他手下徒弟都是好漢，防盜護排少不了他們，只得依舊高價雇用。鏢師本人却沒有看出這一點。他覺得徒弟們長期跟著他，不能自立門戶，出息不大，於是把一個個都推荐出去。幾年後，身旁的徒弟都走光了，少排主也便將他解雇了。鏢師回家後不到一個月，便被仇人害了。臨死前，家父去看他。他送給家父這件護身坎肩，沉痛地說：英雄不可自剪羽翼！」

曾國藩心裏猛地一怔，兩眼直直地望著楊岳斌。他一向將楊岳斌視爲樸訥無文的周勃式的人物。楊岳斌不善言辭，也不喜言辭，偶有所論，必然是思之至深，非說不可的話。曾國藩喜歡這種性格，他討厭夸夸其談而又沒有眞知灼見的人，提倡訥於言而敏於行。楊岳斌可謂這方面的典型。因此，楊岳斌每有所言，曾國藩都極爲重視。剛才這句「英雄不可自剪羽翼」的話，引起了他的强烈震動。盡管這句話在決定裁軍之後，他不時聽到人們說過，但都遠遠不及從楊岳斌口中說出的分量。

「厚庵，看來你送我這件坎肩的背後還另藏著別的內容。」曾國藩回過神來，又不自覺地撫摸鬍鬚了。

「老中堂。」楊岳斌將上身傾斜過去，鄭重地說，「目前陝甘回民騷亂，朝廷派卑職去的目的在於平亂。陝甘綠營不能當此大任，卑職還將請求隨帶一支湘軍去；若朝廷允許，將從水師中抽調。水師官勇能打仗的多，且是卑職的老部屬，刀光血火中過來的弟兄們，到底信得過些，所以請大人暫不要解散長江水師。大人要撤湘軍，這當然是很英明的決定。江南的大仗已經結束，再養一支十多萬的人馬，既耗費糧餉，加重百姓負擔，又讓朝廷不放心，不是好事。何況仗打久了，軍營暮氣很重，腐敗成風，若不裁撤，也會成事不足，敗事有餘，故卑職對裁軍完全擁護。不過，卑職說句實話，據說大人要把湘軍全部裁掉，卑職以爲無論爲朝廷著想，還是爲大人著想，都不太妥當。這件事，卑職想了很久，請大人寬恕卑職的魯莽，聽卑職說幾句心裏話。」

「你說吧，厚庵。」曾國藩動情地說，「多年來，我一直想多聽你說話，可是你總說得很少，以後更難聽到你說話了。你今天就在我這裏吃頓便飯，也算是我給你餞行，你也就在我這裏久坐些時候。」

「謝謝老中堂，我也就不客氣了。」楊岳斌說，「從保衞朝廷來說，長毛雖垮，但餘部仍不少，江南還未到刀槍入庫、馬放南山的時候；淮河以北，捻軍也日益坐大，雖有淮軍，到底不如湘軍的經驗豐富。若把湘軍全部撤了，緩急之間，如何應付？大清朝立國以來，從未有一支控制三千里長江的水師；有之，乃大人親手創建的長江水師。我大清正因爲水師薄弱，所以二十多年來，沿海一帶備受洋人的欺凌，朝廷應吸取這個慘痛教訓，大力發展海軍，保衞我千里海疆。長江水師只要稍加整頓，再多配備些船炮，就可以成爲我大清朝的第一支海軍。」

「厚庵，你說得對！」曾國藩對楊岳斌將長江水師發展成爲第一支海軍的想法極爲贊同。

「老中堂，這是爲朝廷著想。至於爲老中堂你個人著想嘛，」楊岳斌略停片刻後，堅定地說，「老鏢師的臨終遺言說出了一個共同的道理：不做英雄則罷，既做英雄，就不能自剪羽翼。老中堂自創建湘軍以來，掃除了凶逆，也得罪了不少權貴。請恕卑職說句直話，老中堂今日的處境，正是二十多年前你老送給湯鵬那副輓聯中所說的：名滿天下，謗亦隨之。嫉妒者，仇恨者，不滿者，遍布朝野。老中堂已做了十多年的英雄，事到如今，就一定要把英雄做到底。倘若此時不顧一切地把全部湘軍都裁撤，那麼後果不堪設想。」

「你說說會有什麼後果出現。」楊岳斌的話顯然打動了曾國藩的心。

「依卑職看來，大仗還有可能會打。假如過兩年太后、皇上叫老中堂重新帶兵上戰場，老中堂手下卻無精兵強將，打不好仗，太后、皇上會如何看待老中堂呢？朝野官紳又會如何看待老中堂呢？」

曾國藩點點頭。

「還有一點，卑職總有點擔心，怕日後老中堂手下無一兵一卒了，有人會挾嫌誣陷老中堂，不提湘軍的功勞，盡揭湘軍的瘡疤。那時皇上已長大，太后歸政於他，他不知昔日的艱難，只看到眼前的太平，聽信讒言，疏遠了老中堂。」

曾國藩心裏又是一怔。他很驚異這個文采不多的水師統領，竟然想得比自己還要深長。是的，這兩三年來，曾國藩幾乎還沒有騰出時間來考慮皇上長大親政的事，他總認爲那還很遙遠。經楊岳斌這一提醒，他猛然意識到，皇上今年已經九歲了，離親政也只有幾年了。眞的，假若到那時自己已無實力，未曾親歷艱苦的少年天子，豈不將如同那個少排主一樣，輕易地辭掉自己這個年老無用又結怨甚多的「鏢師」嗎？

「厚庵，你說說，湘軍應當保留多少人爲好？」實在地說，曾國藩也並不想把湘軍一個不留地全部裁掉，他設想留下一萬精銳。現在看來，這個數目少了。

「依卑職看，要留三到四萬人，至少要三萬人，不能再少了。」楊載福不加思索地回答，「正字營全部遣散，霆軍也全部遣散，只留下鮑超和宋國永等一批戰將，老湘營、果字營各留三千人，吉字營留四千，合起來一萬人。太湖、淮揚、寧國三個水師全部撤掉，長江水師二萬人都留下來。老中堂，」楊岳斌說到這裏，顯得很激動，他站起來大聲說，「長江水師這幾年儘管也沾染了軍營習氣，吸食鴉片、嫖賭懶散等現象在所難免，作爲統帶這支軍隊達十年之久的將領，有一點可以保證，那就是老中堂親手創建的長江水師，對老中堂的忠誠是不用懷疑的，它永遠是保護老中堂的一件牢不可破的坎肩。」

楊岳斌的激昂之言使曾國藩深受感動，他輕輕地揮手招呼：「厚庵，我從來就把你和雪琴帶領的長江水師視爲我的命根子，我對它的寵愛要勝過沅甫的吉字營。」

楊岳斌坐下來繼續說：「我本來想藉此裁撤的機會，好好整頓一下長江水師，可惜現在不行了。請老中堂務必盡快招回雪琴，讓他做這件事。雪琴性格剛强，嫉惡如仇，用他來整頓長江水師，比我要好。」

「是的，是要早點請雪琴回來。」在曾國藩的心裏，已完全接受了楊岳斌的建議：至少留下三萬人。

廚子端上了晚餐。餐桌上，楊岳斌向曾國藩請教去陝甘後如何應付複雜的民事和軍事。曾國藩盡平生閱識，一一作了詳盡的回答。

楊岳斌告辭後，曾國藩的臥室裏燈火亮了大半夜。擅長心計的兩江總督在苦苦地思索著，如何將裁撤湘軍一事辦得既光彩照人，又於己無損；如何做一個既是至公無私的功臣，又是暗存精銳的梟雄。

七　恭親王東山再起

「拜見聖母皇太后。」待太監打起黃緞棉胎門帘後，醇郡王福晋輕移蓮步，跨進養心殿西后閣，跪在棉墊上，向斜靠在躺椅上的慈禧太后請安。

「快起來，柳兒。」慈禧坐起來，臉上泛起親熱的笑容，指了指身旁鋪著大紅牡丹刺綉緞墊的瓷墩說，「坐到這邊來。」

醇郡王福晉柳兒站起來，坐到慈禧身邊的瓷墩上，笑吟吟地說：「姐姐這幾天益發漂亮了。」

「死丫頭，姐還有什麼漂亮不漂亮的，該漂亮的是你。」慈禧笑著說，臉上現出兩個淺淺的酒窩，微露兩排雪白細密的牙齒。這兩個迷人之處，正是她同樣生得花容月貌的妹妹所欠缺的。慈禧娘家只有這個比她小四歲的胞妹，她因為自己喜愛蘭草蘭花而被咸豐帝取名蘭兒，便依此將喜愛柳枝柳葉的妹妹取個小名叫柳兒。柳兒十七歲那年，慈禧剛生下了後來的同治皇帝。本來就受到寵愛，這下更加專寵了。一天，咸豐帝跟她談起七弟奕譞的婚事，她就趁勢提出了自己的妹妹。出於對她的愛，咸豐帝連柳兒的面都沒見，就定下了這門親事。這樣，柳兒進了醇王府，成了醇王的正室夫人，滿語稱為福晉。慈禧姐妹的際遇，引起了社會上的轟動。人們談起歷史上楊貴妃姐妹的故事，再次生起「遂令天下父母心，不重生男重生女」的感嘆！

柳兒雖不及姐姐的機敏幹練，卻也比一般女人有主見，能辦事。三年前，在熱河行宮那段驚心動魄的日子裏，肅順為獨攬大權，曾嚴密地監視兩宮太后的行跡，柳兒以特殊的身分出入宮中，為兩宮太后傳遞信息。終於透過醇王奕譞，聯絡了在京中主持外交的恭親王奕訢，叔嫂合謀，廢除了輔政八大臣，實行兩宮垂帘聽政。柳兒實爲這段歷史中一個神秘而重要的人物。也因爲有這個功勞，慈禧對自己的胞妹更加刮目相看。丈夫死了，兒子還小，不諳世事，在這個世界上，慈禧最能推心置腹說話的人，便是妹妹柳兒了。這幾年，她常常召柳兒進宮。談話多爲家事，也談些與普通女人無異的養兒育女、穿著打扮等瑣碎話題，間或也談及奕譞。

慈禧對奕譞的感情，自然超過對咸豐帝其他幾個兄弟，她很希望妹夫能成爲她處理軍國大事的得力幫手。三年來，她委任他很多職務，一爲加重他的權力，二爲多給他以磨鍊的機會，尤其在罷黜了恭親王的職務後，慈禧對奕譞更寄與重任。孰料這個二十七歲的郡王與他的同父異母兄比起來，資質差得太遠了。他既沒有奕訢過人的才識，更缺乏奕訢閎闊的器局，頗使慈禧失望。上次召他與僧格林沁一起密謀如何對付湘軍，奕譞雖出了一些主意，但終不能令慈禧滿意，整個計劃還是她自己拿出來的。這時，她就想起賦閑在家的奕訢來。在處理軍國大事上，奕訢遠比奕譞主意多而且穩重。前幾天，她要奕譞到恭王府去一次。今天召妹妹進宮，主要是想問問妹夫所掌握的關於奕訢的近況。

「六爺罷職以後，七爺一直想去看他，但又不敢去。後來姐姐說要他去瞧瞧，他很高興，第二天便去了。」柳兒細聲細語地說。

「對罷職一事，六爺說了些什麼？」慈禧輕輕鬆鬆地問，順手挑了一個精巧的西洋糖果給妹妹遞過去。

「一提起這事，六爺就很痛悔，說自己年輕不懂事，辜負了太后的信賴，對不起先帝。說著說著，還掩面哭了起來，七爺安慰了好一陣子。」柳兒慢慢剝開花花綠綠的玻璃紙，露出一枚魚形粉紅色透明糖果來，她仔仔細細地把糖果端詳一眼後，才輕輕塞進嘴裏。

「這些日子，有些什麼人去過恭王府？」對奕訢的態度，慈禧較爲滿意，她還要更多地了解小叔子家居反省的情況。

「六爺說，除幾個自家兄弟外，旁人來恭王府，他一概不見，也不讓他們進王府。據九爺講，他也沒有見過多少人來恭王府拜訪他。」

孚郡王奕譓的王府離恭王府很近，他提供的情報應該是準確的。

「那麼，六爺這段時期在家裏做些什麼呢？」慈禧偏著臉問。窗外溫暖的陽光照在她兩把頭髮式上，狀如烏雲般的秀髮光亮可鑒。

「七爺問過他，六爺說唯閉門讀書而已。七爺看到六爺案桌上擺的是聖祖爺的御批、乾隆爺的御制詩和先帝的詩文。」

柳兒的這些回答，都與她從別的途徑上所了解的情況大致相合，慈禧很滿意。她站起來，滿面春風地對妹妹說：「跟我來，我帶你看看前些日子他們送給我的賀禮。」

十月初十，是慈禧的生日。她是一個很講顏面的人，又有貪財愛貨的癖好。咸豐帝在世時，每到這一天都要親自爲她賀生，還要送她一點小東西，皇后也送她一兩件禮品，妃子們就更不消說了，人人都送她禮物。她把這些禮物珍藏好，一有空閑，便一件一件拿出來欣賞。每到這時，她便沉浸在一種難以言喻的喜悅之中。這兩年當了太后，地位高多了，生日期間，收到的禮物更多，但終因江南戰事未結束，不敢太鋪張奢侈。

今年可不同，江寧收復了，心腹大患搞除了，滿蒙親貴、文武百官，莫不異口同聲稱讚這是託了太后的如天洪福和英明調度的結果，且又逢三十大壽，應該熱熱鬧鬧慶賀一番。於是宮中上自慈安太后，下至有頭面的宮女、太監，外官二品以上的大員及各省督撫、將軍、提督，人人都備了一份厚厚的禮物。從初六開始，禮物便一擔擔、一盒盒地抬進養心殿後閣。慈禧先看一下禮單，她覺得稀奇的，便看一看實物，一般的便揮手讓太監、宮女直接收起來。初八日起，宮中又唱起大戲，一連唱五天，初十爲高潮。前前後後、宮內宮外緊張忙碌了十天，壽星自己也辛苦了十天。她的辛苦，是忙著看禮物，看戲，接受大家的祝賀。雖辛苦，但她異常興奮。她想妹妹雖貴為郡王福晉，很多東西也未必能看得到，便興致濃厚地帶著妹妹到她的珍寶室去。

姐妹倆走出寢宮，進入一條狹長的巷子，走到巷子的盡頭，又進了一座宮殿。宮殿不大，殿裏擺著一個接一個的書櫃。在一面繪著彩色山水圖案的牆壁前，姐妹倆停了下來。慈禧叫隨後跟著的太監對著壁端用力一推，居然推出一個門來。柳兒吃了一驚，想不到神聖的紫禁城內竟然有這等詭秘的暗室。慈禧帶著柳兒進了門。這是一間不大的房子，四周再沒有門窗，光線和空氣都借助屋頂的通氣孔而來。房子裏擺滿了一人多高的木架子。

「這是什麼殿？」柳兒問，她終於忍不住了。

「這是前明留下來的密室。朝廷有什麼機密大事，則在此殿內計謀。世祖爺、聖祖爺當年都用過，到乾隆爺時就再沒有用過了。那年先帝一時高興，領我到這間屋子裏來玩，又把開啓的暗號告訴了我。我現在就用它來珍藏珠寶。」

「姐姐，這太可怕了！」柳兒心惴惴地。

「知道了就不可怕。怕就怕皇宮裏還有這樣的密室，我們不知道，外人反而知道，那就可怕了。」走了幾步，慈禧又說，「柳兒，我眞不願意長年呆在這裏，當年先帝每去圓明園，我就高興得不得了。可惜，圓明園給洋鬼子燒掉了。」

「花點銀子把它恢復起來吧！」柳兒建議。

「是要修復的，只是前些年要對付長毛，國庫緊。現在長毛滅了，是到修園子的時候了。」

說著說著，姐妹倆走到屋中間。慈禧指著四壁木架說：「這裏面收藏著三千多盒珠寶首飾，全是他們這次送的，你今天也看不了這麼多。這樣吧，你信手到架子上拿下五盒來，這五盒就送給你。好不好，就看你的運氣了。」

「姐姐的東西哪有不好的，任哪一盒都是稀世之寶。」

柳兒興高采烈地看了好一陣子。只見每個盒子都是黃燦燦的，僅有大小之別，無精粗之分。柳兒隨手拿了五盒中等大小的盒子，慈禧叫太監捧著，然後一道出了這間神秘的房子，重新來到寢宮。

太監把五個盒子放到案桌上。慈禧笑著說：「看你的運氣如何？」說罷，自己動手打開一個。

這個盒子裏裝的是一朵美麗的牡丹花。醇郡王福晉從來沒有見過這麼好看的首飾，比她後花園的眞牡丹還要好看。她從姐姐手裏接過，細細地欣賞。這朵牡丹的花瓣全用血紅色的珊瑚薄片製成，四片綠葉子配的是碧綠的翡翠。那葉子雕得眞好，對著窗戶一照，裏面細細的暗黑紋路都可以看得清楚。花瓣、葉片之間以頭髮絲般的細銅線連綴而成。柳兒越看越愛。

「把它別到髮髻上看看。」慈禧含笑說。

柳兒把牡丹花插在左邊髮髻上，問姐姐：「好看嗎？」

「好看。」慈禧很高興，彷彿仍是一個十六七歲在娘家做女紅的大姑娘。「你自己對著鏡子照照。」

柳兒走到玻璃鏡邊。鏡子裏那位臉龐端正、身材窈窕的少婦，在牡丹花的襯托下更顯得俏麗。

「插到右邊去，可能會更好看些。」慈禧走到妹妹身邊，把花插到她的右邊鬢髮上。柳兒看到玻璃鏡裏的形象更美了。

「姐姐，你眞會打扮！」柳兒歡喜地問，「爲什麼插到右邊要好看些呢？」

「傻丫頭，你沒看到你右邊的頭髮梳得太緊了嗎？」

眞的，柳兒自己不覺得，經姐姐一提醒，果然發現右邊是梳緊了一點，插上這朵牡丹花，就與左邊顯得很協調了。她不由得深深佩服姐姐目光的銳利。

柳兒打開第二盒。盒子裏裝了兩只金釧，每個金釧上鑲著八顆珍珠。金釧閃黃光，珍珠閃白光，交相輝映，甚是耀眼。柳兒很喜歡。打開第三盒，是一只純金打成的鳳簪。鳳頭鑲以紅珊瑚，鳳眼裏嵌兩顆黑珍珠，鳳嘴裏叼一串光溜溜、紫瑩瑩的玉葡萄。柳兒愛極了。第四盒是一塊花玉雕的蝴蝶佩飾。第五盒裝的是一根珠纓。柳兒把珠纓提起來，立刻光彩四射。原來這是一根梅花珠纓，淡黃色的纓帶上精細地結了五朵梅花，梅花的每個花瓣上鑲一顆淺黃珍珠，正中是一顆直徑半寸的白色明珠，兩朵梅花之間以一個金環連結，環上鑲著赤、橙、黃、綠、青、藍、紫七顆瑪瑙，整個珠纓近半人長。柳兒心想，這根珠纓的價值決不會低於二萬兩銀子。柳兒拿在手裏，不忍放進盒子裏去。慈禧看出她的心思，拿過珠纓，親手把它掛在外衣鈕扣上：「好啦，就這樣掛著，不要取下來了。」

柳兒歡喜無盡，說：「謝謝姐姐了！」

慈禧將眼前亭亭玉立的妹妹看了又看，說：「這件外褂的花色不對，我再送你一件合適的。」轉臉對一旁的宮女說，「去把那王福晋送的那件褂子拿來。」

過一會兒，宮女捧出一件衣服來。柳兒接過，打開來。這是一件深紫色薄呢大褂，前胸後背各綉一朵很大的紅牡丹，牡丹邊飛著幾隻活潑的小蝴蝶。柳兒把自己的外褂脫下，換上這件。身上的牡丹花與頭上的牡丹花恰好配合成一體，顯得又嬌艷又莊重。慈禧對妹妹說：「我於穿著打扮上，就是細微處也不厭精詳。戴牡丹花頭飾，就要穿綉牡丹花的衣服。你不管國事，比我有時間，更要注意打扮。要知道，女人打扮，不僅是給男人看的，也給自己看。打扮得漂漂亮亮，自己看著也舒服。比如說我吧，我愛打扮，每天要花一個多時辰在打扮上，先帝大行了，我給誰看呢？還不是求得自己舒心。」

姐妹二人正說得興起，安得海進來，低頭稟報：「六爺正在外面等候召見。」

「母后皇太后呢？」慈禧問。

安得海稟道：「母后皇太后說，她今天有點不大舒服，六爺的事情，就由聖母皇太后一人作主。」

「你去請皇帝出來，我一會兒就去。」

「喳！」

待安得海出了門，柳兒吃驚地問：「六爺進宮來了？」

「是的，我要重新起用他。你這就回府去吧，過幾天，我們姐妹再好好聊聊。」

當恭親王奕訢跪在養心殿東暖閣正中軟墊上時，東暖閣東面牆壁邊的龍椅上，已坐著九歲的同治小皇帝。南北兩邊牆壁前懸掛著兩幅薄薄的黃幔帳，黃幔帳後面也各有一張龍椅。南邊坐的是母后皇太后鈕祜祿氏，也就是慈安太后。北邊坐的是聖母皇太后葉赫那拉氏，即慈禧太后。今天，南邊黃幔帳後的龍椅空著，慈安太后未到。她對政事興趣不大，身體稍有不適，她便不參加，慈禧太后則從不缺席。小皇帝登基已三年了。三年來，無論召見任何人，他都一言不發，如同一座木雕似地坐在那裏。慈安不來，今天就只有慈禧唱獨脚戲了。

「六爺。」黃幔帳後面轉來慈禧清脆的聲音。

「臣在。」奕訢趕緊磕頭答應。

黃幔帳後面的太后注目看著跪在墊子上的小叔子。有兩個多月不見了，他顯得削瘦了一點，然而正因爲此，更加突出了他棱角分明的五官和儒雅開闊的氣質。他極像先帝，却比先帝更添三分男子漢的氣概。頓時，年輕太后又忘情地想起她早逝的丈夫來。略停片刻，她的聲音變了，變得格外的柔和溫馨，彷彿是當年與先帝對話的蘭兒，而不是兩個多月前那位用嚴厲措詞指責軍機處領班大臣的威不可犯的皇太后。

「近來過得還好嗎？」

「這段日子裏，臣閉門謝客，反省思過，所獲良多。」奕訢回答，聲調裏帶著懺悔的味道。

「六爺，先帝龍馭上賓，將祖宗基業扔給我們孤兒寡母，外頭洋人欺侮，內裏賊匪又四處作亂，我們姊妹好難挨啦！要保住祖宗的江山，我們姊妹倆沒別的能耐，只有內靠五爺、六爺、七爺你們這班親叔子，外靠曾國藩、左宗棠、李鴻章這批文臣武將，才勉强把這幾年支撐過來。現在雖說江寧收復了，但捻子、回民的氣焰仍很凶，祖宗江山還在危難中。六爺，你要和我們母子一條心呀！」

奕訢聽出了慈禧的話中之話，遂再次磕頭奏道：「臣年幼不懂事，前向對兩位太后多有冒犯之處，心裏十分悚慚。近日重溫列祖列宗的教誨，深感祖宗創業之艱難，兩百多年來，江山維繫不易。當此內憂外患之時，臣辦事不力，有負太后重托，理應譴責。臣處周公之位而不能行周公之志，不僅將來愧見列祖列宗於九泉之下，亦對不起臣僚百姓。臣心痛苦萬分。」說到這裏，奕訢不覺失聲痛哭起來。

奕訢的表現使慈禧十分滿意。究其實，她與奕訢並沒有多大的衝突，根本不是江寧城裏的曾國藩想像得那樣嚴重。

兩宮垂簾聽政後，奕訢以皇室中的有功人員被封爲議政王，食親王祿雙份，總領軍機處，成爲事實上的攝政王，權傾當朝。恭王府成了京城裏除皇宮外的第一府第。一天到晚大門外車水馬龍，冠蓋如雲，王府支出浩繁。這時，任過總督的岳丈桂良給女婿出了個主意：收門包。並說地方上的督撫衙門、兩司衙門乃至府道衙門莫不都如此，否則，應酬的開支從哪裏來？奕訢接受了這個建議。這樣一來，王府增加了一筆很大的收入。但時間一久，弊端也越來越大。大家都出門包，門包就有了數量大小之別。數量大的先得接見，數量小的往後挪。有的外官為了早得接見，不僅出門包，且賄賂門房，門房又乘機敲榨。到了後來，見一次奕訢，甚至要交一千兩銀子的門包。這樣一來，京師物議甚多。有次，安得海有要事要見奕訢，門房不認識，開口便要他拿三百兩銀子出來。安得海說他是宮裏的，門房說宮裏的也要出。安得海不便說出慈禧的名字，只得打出三百兩銀票。過一會兒，門房出來說：「恭王事多，安排在五天後接見。」

安得海急了：「煩你再去通報一聲，就說有要緊事，請恭王務必在百忙中見一下。」

門房笑嘻嘻地說：「那好，既有要事，再拿二百兩出來吧，作特急安排。」

沒法子，安得海咬緊牙，又拿出二百兩來。

就這樣，安得海見一次奕訢，用去了五百兩銀子。他氣不過，將此事告訴了慈禧太后。慈禧心裏頗為不悅。

御史蔡壽琪得知官員們對恭王府收門包一事普遍不滿後，向太后、皇上告了一狀。慈禧將摺子給恭王看。恭王看後，追問是誰上的。慈禧告訴他是蔡壽琪。奕訢脫口而出：「蔡壽琪不是好人！」慈禧聽後皺了皺眉頭。

奕訢既以攝政王自居，每議及軍國大事時，便常常發表與慈禧觀點不同的言論，而且侃侃高談，引經據典，頭頭是道，慈禧辯不過他。她心裏嫉妒，深怕自己被架空。平時在後殿議事，時間一久，太監除給兩宮太后上茶外，也給奕訢上一碗茶。有次太監忘記上茶了，奕訢講得口乾，順手端起慈禧的茶碗一飲而盡。喝完後，奕訢才知拿錯了，忙賠罪。慈禧一笑置之，然過後想起，心裏不是味道。

後來，奕訢鑒於軍費支出大，提出裁抑宮中開支的建議，慈禧同意了。她想到裁抑的是別人，不會到自己的頭上來。一次，安得海到內務府去領餐具。管事的太監說，奉恭王命，太后的餐具一個月發一次，早幾天才領過，這次不能發。安得海不作聲。第二天御膳房給慈禧開餐，端上來的盤盤碗碗全是缺邊裂口的。慈禧驚問是何緣故。安得海為洩私憤，添油加醋地說了一大堆恭王如何克扣等壞話。慈禧聽了很生氣。

就這樣幾件事情，慈禧把它聯繫起來，暗自思考了很久。她認為奕訢為皇帝的親叔叔，又在辛酉年起了扭轉乾坤的作用，見識很高，才幹超羣，受到內外上下的普遍尊敬，且又這樣膽大驕傲，不把她放在眼裏，要不了多久，他會把她們母子當作傀儡，玩弄於股掌之中，到時候，甚至會把孤兒寡母趕下去，自己做起大淸王朝的皇帝來。他是道光帝的親兒子，當皇帝名正言順，而自己弄的這一套垂簾聽政，本是祖制所不容的。慈禧越想越覺得可怕，必須先下手爲强！這個處事果決、心狠手辣的女人於是先動了手。她加給奕訢的罪名是貪墨受賄、目無君上、諸多挾制、暗使離間。一紙詔命，將奕訢所有的職務全部剝奪乾淨。

從本質上來說屬於懦弱型性格的奕訢，驟然遭此重大打擊，措手不及。他想起三年前的那場大變動，想起肅順、載垣、端華的被殺，想起執政三年來這位太后的手腕，他意識到自己不是她的對手，要保全權力地位，唯一的出路是眞正徹底地跪倒在她的脚下，順從她的旨意。趁著慈禧三十大壽的機會，他投其所好，送了一份重禮：一整套法國進口的妝具和一雙綉花鞋。那雙鞋子上每隻都綴著一顆徑長一寸的東珠。管事太監告訴慈禧，光這兩顆珠子就不下於五十萬兩銀子。慈禧對這份重禮滿意。她今天就穿著這雙舉世無匹的綉花鞋，眼睛望著鞋尖上的珠子，一邊欣賞，一邊思索。

罷了奕訢職務後不到幾天，以惇親王奕誴爲首的滿蒙親貴，以軍機大臣文祥爲首的文武大臣便不斷上摺爲奕訢說情，認爲他功大過小，不應受此嚴懲，且國步維艱，正賴他砥柱中流，罷掉他，於國家大不利。甚至慈安太后也來講情了，說我們姊妹終究是女流，天下還得要靠爺們支撐著。慈禧對王公大臣的說情置之不顧，尤其對慈安的話氣惱。她嘴裏不說，心裏鄙夷慈安沒出息：「女流又怎麼樣？女流就不能做事業嗎？武則天不是女流嗎，有幾個爺們趕得上她？我就是要讓他們看看聖母皇太后的本事！」

心裏雖有這個雄心壯志，但兩個多月下來，御政不久的慈禧太后深覺自己的能力不濟。首先是她的書讀得太少了。她親手擬的那篇罷恭王的詔命，短短的兩百來字，錯字別字就有十多處，她自己不知。半個月後，妹夫悄悄告訴她，她羞得滿臉通紅。臣子們上的奏摺，只要一涉及到冷僻一點的歷史典故，她便不懂，又不好意思下問軍機處，許多奏摺她常常似懂非懂。再就是對六部官員，對地方上的督、撫、兩司、將軍、都統等重要官吏的出身資歷、才學品性，她都缺乏了解，對於他們的遷升處置，她常常拿不定主意。尤其令她難堪的是，凡有關軍事方面的奏報，她幾乎不能置一字可否。她深深感覺到，作爲一國之主，她欠缺的太多了，她的細嫩的肩膀遠不能挑起這副破爛而沉重的擔子。這麼多人對恭王罷職不滿，也使她意識到自己目前的威望，還不到使臣僚們誠惶誠恐、畏之懍之的地步。三十歲的慈禧比後來的老佛爺幼稚得多，但也明智得多。她清楚地看到：自己還需要學習，還需要培植黨羽，樹立權威，而在這個過程中，是要有人替她把這副擔子挑起來的。環視皇室四周，先帝的兄弟們，惇王奕誴愚憨、醇王奕譞淺薄、鍾王奕詥放蕩、孚王奕譓年紀還小。再看近支王族中，也無一才幹突出之人。比來比去，再無人超過奕訢了。

慈禧太后近來的情緒很好。這是因爲，一來她對曾國藩所施加的一誣二揭三逼，旨在促使其加速裁撤湘軍的手腕，完全收到了預期的效果。曾國藩自己的奏摺報告湘軍正在一批批地遣散，富明阿、德興阿的奏報也予以證實。她放心了。二是沈葆楨報告，他的部下席寶田活捉了小天王洪天貴福，請求押來北京獻俘。這兩樁喜事都爲她的三十大壽大壯顏色。再加上奕訢自己的表現。諸多因素的綜合，使得慈禧決定寬免奕訢的過失，重新起用。

「六爺，先帝在日，常常在我面前稱讚你的忠心和才幹，我們姊妹對你是完全相信的。先前的過失，既然已經認識了，今後不再犯就行了。皇帝年幼，我們姊妹閱歷也不夠，往後還要靠六爺多多輔佐。」

這分明是要再起用的話，奕訢又驚又喜，連連磕頭，說：「太后寬宏大量，臣肝腦塗地，不足以報。」

「自家手足，不必說這樣的話。」慈禧的話很懇切，聲調也恢復了過去的親熱，「有幾件事，六爺幫我們姊妹拿個主意。」

「請太后示下。」

「江南方面，最近有兩件大事。一是曾國藩裁湘軍。他摺子上說要裁去九成，甚至可以一個不留。二是沈葆楨抓了僞幼天王，他說要押來獻俘。這兩件事，六爺談談你的看法。」

「太后，」奕訢思索片刻後稟道，「江寧攻下不久，曾國藩便立即著手裁軍，足見曾國藩對太后、皇上忠心耿耿。此人乃宣宗爺特意爲先帝破格簡拔的重臣。宣宗爺和先帝都看重他既有才幹又有血性，故而委以重任。他果然不負所望，創建湘軍，歷盡十餘年艱難，平江南巨憝。現在他又不居功自傲、擁兵自重，主動裁軍，正是千古少見的忠貞之士，人臣之楷模。太后、皇上宜大力表彰，以培風氣。倘若所有帶兵的將帥都效法曾國藩，則祖宗江山將固若金湯。」

「喔！」慈禧點頭贊同。奕訢眞不愧是曾國藩的知己，短短幾句話，句句說到點子上。慈禧想起與奕譞、僧格林沁的合謀，心中不免有點慚愧。是的，奕訢說得好，假若帶兵的將領都像曾國藩這樣，那眞可高枕無憂了，應該大力表彰他！

奕訢接著說：「爲了表示太后對曾國藩忠心的酬勞，應當降旨讓湘軍保留一部分。這一方面表示朝廷對曾國藩的充分相信，同時也是形勢所必需。因爲長毛尚有餘部，淮河兩岸還有捻寇，湘軍不能全撤。」

「你看要保留多少人呢？」慈禧問，她覺得奕訢的話有道理。

「我看至少要保留三萬人左右，太少了不起作用。」

「好吧，就讓曾國藩保留三萬。」

「基於這一點，臣建議僞幼天王不必押來京師獻俘。」

「爲什麼？」慈禧一時不明白這二者之間的關係。

「僞幼天王是從江寧城裏逃出來的。前些日子，左宗棠、沈葆楨等人爲此彈劾曾國荃。現在若把僞幼天王押來京師，弄得沸沸揚揚，這不是讓沈葆楨大添光彩，而令曾國荃大失臉面嗎？太后既然要表彰曾國藩的忠心，同時也就要寬諒他的弟弟的疏失。僞幼天王畢竟只是個小頑童，不能和僞天王相比，可以援石達開、陳玉成、李秀成均未獻俘的先例，命沈葆楨在南昌就地處決算了。」

「就依你的意見辦。」慈禧明白了個中關係，爽快地答應了。

「還有一件事，戶部奏請按旗兵、綠營例，命湘軍將十餘年的軍費開支情況逐項稟報，以憑審核。六爺看如何辦理爲好？」

「太后，戶部這是無事生事。」奕訢斷然答道，「湘軍既不是朝廷經制之師，就不能按旗兵、綠營成例。十多年來，湘軍軍費大部分都是自籌，朝廷所撥有限。自籌的經費，何必去管它的開支！且這些湘軍將領，起自閭里，從未受過朝廷的正規訓練，說不定根本就沒有保留過往來明細帳目。這麼多年過去了，現在一時叫他們逐年逐項申報，這不是給他們出難題嗎？再說，湘軍正在裁撤之時，裁則一了百了，還提這些事做什麼！朝廷只希望他們早點裁掉爲好。倘若他們借此拖延時日，或乾脆不裁，豈不因小失大！」

「六爺說得對！」慈禧由衷贊同奕訢的見解，爲了追回幾個錢而誤了裁軍大事，眞是得不償失！她由此更感到奕訢人才難得，遂鄭重宣布：「六爺，從即日起，你仍回軍機大臣本任，總理軍機處。」

奕訢先是一喜，忙磕頭：「臣奕訢謝太后聖恩。」繼而又想：「議政王」頭銜爲什麼不還給我呢？是無意疏忽，還是有意扣留？正在亂想時，慈禧已下令了：「你跪安吧！」

奕訢頗爲失望地磕頭，托起三眼花翎大帽，面對著黃幔帳後退。剛走到門帘邊，正要轉身出門時，又傳來慈禧的聲音：「六爺。」奕訢連忙站住，心想：一定是太后記起了我的「議政王」，要還給我了。忙跪下，答道：「臣在。」

「曾國藩奏江南貢院即將建好，定於十一月初舉行甲子科鄉試。江南鄉試中斷了十多年，今年恢復，是一樁大事，主考、副主考放何人，你與賈楨、倭仁等人商量一下，看著辦吧。」

「是！」奕訢悵然答道。

第二章　整飭兩江

一　甲子科江南鄉試終於正常舉行

在江寧城百廢待興的時候，曾國藩壓下了兩江總督衙門、江寧布政使衙門、江寧知府衙門等官衙的興建，將經費用在兩項建設上：一是滿城，一是江南貢院。修復滿城是爲了討得朝廷的歡喜，恢復江南貢院，則爲的是籠絡兩江士子的心。滿城建得慢點不要緊，貢院的興建則一刻也不能緩，今年是甲子年，爲例行的大比之年，其他各省都按規定期限，於八月中旬結束了秋闈，唯獨安徽、江蘇例外。安徽、江蘇兩省在康熙六年以前還是一個省，名曰江南省(它與江西省同屬一個總督的管轄，所謂兩江，即江南與江西的簡稱)，省垣江寧。後來雖分成兩省，但鄉試並未分開。安徽省的士子，每到大比之年仍到江寧來參加鄉試。自從咸豐二年底，太平天國將都城定在此以後，蘇、皖兩省的鄉試便中斷了。咸豐十一年，曾國藩想在安慶設立一個上江考棚，專考安徽士子，但因爲皖北仍在太平軍之手，遂未果。這樣，十二年多時間裏，安徽、江蘇兩省士子便眼睜睜地失去三次飛黃騰達的機會。一到江寧重回朝廷之手，要求立即開科取士的呼聲，便雷鳴般地灌進曾國藩的耳中。

曾國藩本人的急迫心情並不亞於這些士子。在當年出師前夕昭告天下的檄文裏，他竭力譴責的就是太平軍「舉中國數千年禮義人倫、詩書典則，一旦掃地以盡」的行爲，號召所有讀書識字者起來捍衛孔孟名教。這些年來，他的確也以「衛道」的口號爭取了大部分讀書人的擁護、支持，這正是他成爲勝利者的主要原因之一。現在，到了他爲這些讀書人酬謝的時候了。更何況作爲恢復中斷十二年之久的鄉試最高主持人，歷史將會以怎樣令人炫目的語言予以記載啊！曾國藩每想到這些便激動萬分。這個憑藉著府試、鄉試、會試才有今天地位的荷葉塘農家子弟，深深地理解貧寒士子盼望出頭的苦心，也深深地以執掌文衡而感到無比的榮耀。他每隔幾天便要親臨江南貢院工地，督促他們務必在十月底全部峻工，決不能耽誤定於十一月初八日的甲子科鄉試。前幾天，江南貢院終於如期完工，曾國藩和所有蘇皖官員們都覺得肩頭上輕鬆了許多。

近日裏，來自江淮大地、蘇南蘇北的二萬士子，絡繹不絕地湧進江寧城，給正處在由廢址重建的千年古都帶來一股新鮮的機趣。這些士子中有白髮蒼蒼的老者，也有不及弱冠的青年，有肥馬輕裘、呼奴喝僕的富家子弟，也有獨自一人挑著書箱、布衣舊衫的淸貧寒士。他們走在街上，出入逆旅酒肆，一個個頭上紮著長長的髮辮，滿嘴裏子曰詩云，令金陵遺老們眞有重睹漢官威儀之感！

江南鄉試，向爲全國矚目，不僅錄取人數僅次於直隸而居第二，更因爲殿試一甲人員之多，令各省羨慕。清代自順治三年丙戌開科取士，到咸豐二年壬子科後金陵落入太平天國爲止，共九十一科，江南出狀元五十名，榜眼三十二名，探花四十二名，居全國第一，遠在其他各省之上。這樣一個重要的地方，又是金陵克復後的首科，主考官放的何人，士子們都在互相打聽。絕大部分人都不知道，只有極個別有親戚在北京做大官的人心裏有數，但他們都不講。被猜到的正副主考官有好幾十個，衆人都拿不準，唯一拿得準的是：今科江南鄉試的正主考官一定是一位德高望重、才學優長的翰苑老前輩。

這一點果眞被猜中了，臨到考試的前十天，兩江總督曾國藩才接到部文，得知正主考官放的是劉昆，副主考官放的是平步青。劉昆字玉昆，號韞齋，道光二十一年翰林。咸豐元年由翰林院編修調任湖南學政，咸豐四年遷內閣學士，不久遷工部右侍郎。咸豐十一年因過革職，兩年後復職任鴻臚寺少卿，今年初升爲太僕寺少卿。如今即以堂堂九卿的身分主持江南鄉試，爲參加是科鄉試的士子們增色不少。平步青字景孫，今年三十二歲，時爲翰苑編修，是個官運正好的俊逸才子。說是今天申正可抵金陵，申初，曾國藩便帶著江蘇巡撫李鴻章、學政宜振甫和安徽巡撫喬松年、學政朱蘭以及江寧藩司萬啓琛等高級官員親到下關接官廳迎候。

湘軍在裁撤過程中接到上諭：為著長遠考慮，不必全部裁盡，可以保留三萬左右的兵力。曾國藩正為此事而憂慮，這道上諭出乎意外，令他欣喜異常，立即決定長江水師暫不動，吉字大營保留十六個營八千人，霆軍留下八個營四千人，其餘張運蘭的老湘營、蕭啓江的果字營、正字營，還有李續宜舊部全部裁撤、淮揚、寧國、太湖三個水師各留一千人，其餘也統統回原籍。這段時期，下關碼頭日日夜夜人如潮，貨如山，吉字營被裁撤的官勇們正攜帶從金陵城裏搶劫的金銀財寶、美女少奴，坐上西行船舶，懷著各式各樣的想法，做著形形色色的美夢，由長江換船進洞庭湖，由洞庭湖進湘資沅澧，而後再換船進小河小港，或換騾馬車擔踏上大道小路，進入原本閉塞貧窮的山谷邊壤。他們，以及後來從各個軍營撤回的十幾萬湘勇，拿了這筆錢起屋買田，送子讀書，經商跑大碼頭，出門會闊朋友，開湖南一代新風，遂使歷來號稱天荒之地的三湘四水，從此眼界大開。風氣大變，人才輩出，燦若羣星，成為近代中國最有名氣、最有影響的一個省份。

該走的已走得差不多了，留下來的遵照曾國藩的命令，陸軍全部撤到城外，長江水師的船隻也一律停泊在大勝關以上等候處理。這樣，江寧城裏的戰爭氣氛大大消除，老百姓心理上的壓力也減輕了許多，眼前的下關碼頭顯得平靜，恰如曾國藩近來的心緒。

這是他多年來少有的平靜。湘軍大規模地裁撤，使他獲得了太后、皇上的嘉獎。恭親王又復職了，他的靠山沒有倒。洪天貴福並沒有押去京師獻俘，這無疑是朝廷給沈葆楨以冷淡，而給他們兄弟以顏面。曾國藩很感激，然而他更感激的還是朝廷對軍費報銷一事的寬容。

當金陵剛剛收復，全體官勇都沉浸在勝利的喜悅之中時，署過兵部侍郎的曾國藩，便已想到今後如何向兵部報銷軍費開支一事了。這是一件十分重大又十分棘手的事，尤其是在關於金陵財貨下落的謗讟四起之時，他更爲此事憂心忡忡。

從咸豐三年募勇開始，曾國藩便對往來銀錢一絲不苟，各項開支都記載得淸淸楚楚。衡州出師時，他專門建立了內外兩個銀錢所，所有收支銀錢皆有明細帳目。他提出「不怕死，不愛錢」的口號來教育湘軍官勇，自己又以身作則，從不私用一文軍款。湘軍建立之初的那幾年，帳目淸爽，軍費開支的報銷不難。到了後來，湘軍人員大大擴充，先是胡林翼一支人馬獨立了，後來羅澤南和李續賓李續宜兄弟也獨樹一幟，再接著老湘營、吉字營、貞字營、平江勇、水師內湖外江，又加上一個左宗棠的楚軍，他們都各自獨立，打仗還可以服從統一調配，至於銀錢開支，曾國藩則無力控制，也不想控制了。這些獨立出去的湘軍，絕大部分的開支是一本湖塗帳。朝廷給的餉銀極少，都靠他們自己募集，甚或擄掠。這些統帥們，壓根兒就沒有想到打完仗後，還有個向兵部彙報開支一事。待到部文下達後，曾國藩向他們傳達命令時，他們仍不以爲然，曾國藩拿他們一點辦法都沒有。不報吧無法向朝廷交代，報吧又會激起將領們的反感，弄得不好還怕發生意外。正在他急得焦頭爛額時，一道上諭救了他：「所有同治三年六月以前各處辦理軍務未經報銷之案，准將收支款目總數分年分起開具簡明清單，奏明存案，免其造册報銷。」眞個是聖量寬宏！

曾國藩想，所有這些，可能都是皇太后對裁撤湘軍的回報。他爲自己以穩重、抑讓的態度順利度過難關而慶幸。

「少荃，今科江南鄉試，你是主人，轀齋、景孫遠道而來，你打算如何招待？」曾國藩微笑著對坐在身旁的李鴻章說。江南鄉試照例由江蘇、安徽兩省巡撫輪流充當監臨，甲子科的監臨輪到了蘇撫。

「兩主考的公館，門生安排在旱西門外妙香庵。半個月前，已將庵內庵外粉刷一新，臥房、書房、客廳都換了全套洋式擺設，看過的人都說很好，想必兩主考會滿意。」李鴻章答道。

這幾年李鴻章一洗過去在家鄉的晦氣，處境順利得很。淮軍接連攻下蘇州、常州、鎮江幾大名城，聲名鵲起，幾與湘軍相埒。淮軍統帥李鴻章知道，這中間的訣竅，全在於洋人的槍炮子彈。李鴻章充分利用上海富甲天下的有利條件，用大把大把的黃金白銀換來洋人的軍火裝備。當時令湘軍、綠營將官們眼紅的連發短槍，在淮軍中甚爲普遍，連哨長、哨官都有。他們將尺把長的烏黑發亮的英國造新式短槍，用寬寬的牛皮帶吊在屁股上，神氣活現地出沒於市井酒樓之中，令百姓畏若天神。淮軍軍官們吃過酒飯，把嘴一抹，拔腿就走；看到好的貨物，口一張，對衛兵說聲「帶上」，主人不但不敢問他們要錢，還得親自送出門外，點頭哈腰，謝謝賞光。待背影都看不見後，才吐一口痰，狠狠地罵一聲：「强盜！土匪！」新近榮封伯爵的李鴻章十分懂得淮軍對他的重要，在恩師起勁裁撤湘軍的時候，他的淮軍，除遣散老弱病殘者外一概未動，並暗暗地吩咐各營營官，將湘軍中那些已被裁撤而又凶悍能戰的官勇搜羅過來。淮軍的力量愈發强大了。志大才高的李鴻章仗著權位功勛，已不把當時的人物放在眼裏，唯一對恩師曾國藩，仍存有三分恭敬、七分畏懼。

「少荃啦，我看你近來要洋化了。妙香庵裏的洋式擺設，景孫年少，或許追求時髦，輻齋是個老頭子，不一定會喜歡。」曾國藩依舊是笑笑的，習慣地用手緩緩地梳理著花白的長鬍鬚，雖不太贊成李鴻章的這種安排，但口氣並不是指責的意思。對這個親手栽培的門生，他基本上是滿意的。尤其是他已看清了湘軍衰落，淮軍當旺的形勢，一方面對自己當年的決策深感欣慰，一方面又對這個氣概不凡的門生寄托著七成厚望、三成倚重。

「洋人最善巧思，造出的東西莫不盡愜人意，我想昆老一定會喜歡的。」李鴻章自信地說。

「準備了什麼好的特產款待嗎？」曾國藩不想就這件事爭論下去，換了一個輕鬆的話題。

「吳下好吃的東西多得很，門生特地從蘇州帶了幾個名廚來，要他們變換花樣，把吳下好菜讓兩位主考都嚐嚐，尤其要他們將吳下三道最負盛名的菜燒好。」李鴻章頗爲自得地說。

「最負盛名？是哪三道菜？」彭壽頤對吃最有興趣。自從咸豐四年追隨曾國藩以來，他從未在幕府吃過什麼稀奇的菜。曾國藩生活儉樸，幕僚飲食與尋常百姓沒有多大差別，他自己天天都和大家一起吃飯，幕僚們雖有意見，也不好意思提了。記得那年王闓運遠道到祁門來，廚房晚餐於照例的冷菜外加了一個肉末豆腐湯，曾國藩見了，搖頭說：「何須如此奢侈！」從那以後，幕僚們連客人的光也沾不到了。這次能沾主考的光，吃上蘇州名廚烹調的吳下名菜，眞令他太興奮了。

「惠甫是陽湖人，他淸楚，你問問他吧！」李鴻章有意賣關子。

「李中丞，你這不是有意難我嗎！我哪裏知道你肚子裏的名堂呀！」趙烈文搔了搔頭，想了一會，說，「是不是菰菜、蒓羹、鱸魚膾呢？」

「正是，正是！惠甫不愧是吳下才子。」李鴻章快活地笑起來了。

「少荃，眼下正是秋風肅殺之際，你端出這幾道菜來，是想把我們這些人都趕回老家去嗎？」

曾國藩的話剛一出口，接官廳裏便響起一片笑聲，他自己卻不笑，依舊緩緩梳理他的鬍鬚。在坐的都是飽學之士，知道他說的典故。晉代吳郡張翰被齊王司馬冏招爲大司馬東曹椽。張翰見政局混亂，爲避禍，托辭秋風起，思故鄉菰菜、蒓羹、鱸魚膾，遂辭官歸吳。從此，這三種食品便成爲吳人引以自豪的名菜。

「眞是太美了！古人說松江鱸魚金齏玉鱠，看來以後可以沾主考大人的光，遍嚐東南美味了。」彭壽頤情不自禁地流露出一種難耐的欲望。

「少荃，聽說松江鱸魚以四鰓著名，眞有這事嗎？」曾國藩雖然一向喜歡吃魚，但這幾個月在金陵既忙又憂，還沒有想起要品嚐一下名揚海內的四鰓松江鱸魚。

「的確是四鰓。」李鴻章以行家的口氣答道。他比老師會生活，既要事業，也要享受。「只是有兩個鰓大點，有兩個鰓小點。明日門生叫人送幾尾到衙門去，恩師可親眼驗看。」

「要得，明日多送幾尾，叫衙門裏的師爺都嚐嚐。」向來不受饋贈的曾國藩，難得有這樣爽快的時候。

「不過，李中丞，我倒是聽說，松江鱸魚要出美味，還得靠蜀中薑不可，你備了蜀薑嗎？」趙烈文向李鴻章發難。

「這個我就不懂了，不知廚子備了沒有。倘若沒有蜀薑，還請惠甫多多包涵，勿在兩位主考面前點破喲！」李鴻章的話又引起一片笑聲。

「少荃，今科鄉試士子年紀最大的是多少歲？」笑過之後，曾國藩問。

「一萬九千八百六十九名士子中，年紀最大的是江蘇如皋籍的魯光義，今年七十八歲了。」李鴻章答。

眾人一片贊嘆聲。

「難得！如此高齡，尚能臨場應試。」曾國藩想起自己才五十四歲，便眼花齒落，已近老態，不禁對這個老士子發出由衷的贊嘆。「三場完畢之後，我們都去看看他，以示鼓勵。倘若真的中了，讓他戴著大紅花，在鬧市中接受大家對他的恭賀，耀一耀幾十年來寒窗苦讀、老來遂志的光榮。」

眾人都點頭稱是。

萬啓琛說：「七十八歲應鄉試，誠難能可貴，但也還不是最老的。乾隆丙辰科，劉起振七十九中鄉舉，八十入翰苑。嘉慶丙辰科，王嚴八十六中鄉舉，未及次年會試便死了。這都是士林美談。」

趙烈文說：「你說的還不算老。乾隆己未科，廣東番禺王健寒九十九歲尚應鄉試，握筆爲文，揮灑自如。翁方綱曾以詩記之。」

大家都驚詫不已。

「那末，最小的多大年紀呢？」曾國藩又問。

「最小的十七歲。」李鴻章答。

「哦。」曾國藩點點頭，說，「據說朱文正公也是十七歲中的鄉舉，座師阿文勤公誇他年雖少，魄力大。」

萬啓琛說：「諸位聽清了嗎？爵相方才用的是『也是』兩個字，這可是個吉兆，小傢伙今科定然會中舉。李中丞，你記得他的名字嗎？」

「他叫陸宇安。」李鴻章說，「因爲是敝同邑，所以記得。」

衆人都說：「好，我們都記住了，放榜時注意看，想必這陸宇安今科必中無疑。」

曾國藩高興地說：「隨便說說的，哪裏就算得數！」

曾國藩記起前幾個月決定興建貢院時，有個李老頭子說要帶著兒子、孫子，祖孫三代一起應試的事，遂問李鴻章：「有父子、祖孫一起來的嗎？」

「有。」李鴻章回答。「父子結伴而來的，有兩百多家，祖孫三代來的，也有八家。剛才說的魯光義，就是祖孫三代一起來的，孫子也有二十多歲了。」

「好！」曾國藩高興地說：「這眞是自古以來少見的場面。少荃，你這個監臨榮耀得很啦！」

「這還不是都是沾了恩師您的光！」李鴻章開懷大笑，大家也都跟著笑起來。

正在大家興致濃厚地閑談時，一艘華麗的大官船從下游慢慢駛來，船上坐的正是甲子科江南鄉試正主考官劉昆、副主考官平步青。

「一路辛苦啦，昆老！」當劉昆剛走出艙門時，曾國藩便帶著李鴻章一班人踏過跳板上了船，向他問候致意，站在劉昆背後的平步青也笑著接受衆人對他的熱烈歡迎。

「中堂以爵相之尊親來迎接，令老朽何以心安！」

劉昆功名比曾國藩晚一屆，年齡卻比曾國藩大幾歲，鬚髮雪白透亮，精神很好。那年在湖南學政任上，爲殺林明光一事，很與曾國藩鬧了一陣子。現在曾國藩勛名蓋天下，遠在劉昆之上，且鄉試監臨是李鴻章，曾國藩完全可以不來迎接。他不記前嫌，降尊紆貴，這的確使在官場混了半輩子的劉昆感動。在過跳板的時候，劉昆一定要讓曾國藩走在最前面。曾國藩高低不肯，說是皇上欽派的主考大人，理應走在前。推推讓讓一陣子後，劉昆終於拗不過，第一個上了跳板。曾國藩又要推平步青走第二。平步青雖少年氣盛，畢竟不敢僭越，死命不肯。

劉昆說：「爵相不要再難爲他了。雖是皇上欽命，到底是晚輩，我就擅自作個主，讓他走第三罷！」

於是，劉昆第一，曾國藩第二，平步青第三、李鴻章第四、喬松年第五，餘下的人便依次跟在喬松年的後面，走過跳板上了岸，進了張燈掛彩的接官廳。

接官廳正中臨時搭起了一座龍亭。曾國藩率領衆人，對著龍亭中的牌位跪請聖安：「敬祝皇太后、皇上聖體安康，萬歲萬萬歲！」

劉昆在一旁恭敬回答：「皇太后、皇上聖體安康，諸位請起。」

然後大家都依次上了早已備好的大轎。一行二十多座綠藍呢轎，氣勢磅礴地將兩位主考大人護送到旱西門外妙香庵。

李鴻章的才能再次得到驗證。全套洋式陳設，不僅使平步青喜得抓耳撓腮，就連老頭子劉昆也很滿意。下午，豐盛的接風筵席上，吳下名菜使得客人讚不絕口，尤其是菰菜、蒓羹、四鰓松江鱸魚膾，更是令滿堂叫絕，連曾國藩也覺得味道不錯。

妙香庵大門外插起兩塊大木牌，每個牌上寫著方方正正兩個大字：「回避」。除東廂一條耳門外，所有的門上都貼上兩條左右交叉的封條，上面赫然蓋著「欽命江南鄉試正主考」紫花大印。劉昆、平步青在妙香庵裏安靜地休息了兩天。第三天上午，妙香庵各門上的封條扯了，正主考官劉昆穿朝服乘亮轎、副主考官平步青乘普通藍呢轎出庵，由旱西門進城來。

亮轎亦名顯輿，四周無圍幛，裏面安放大寶座，蒙上虎皮，左右踏足置木獅，轎竿裏彩綢，由八人抬著，前後吹吹打打，坐在轎中的人可以毫無遮攔地俯視圍觀的百姓，最是威風得很。這種亮轎平素不用，遇到大比之年，也只有正主考官一人乘坐，爲的是突出其威儀。

亮轎一直抬進位於城南府東大街的江寧府衙門。這裏已由江寧知府出面，擺下了十五桌入簾上馬宴。待劉昆、平步青望北跪叩謝過皇恩入席端坐後，同考官、監臨、提調、監試等各執事官才一一入席。這種入簾上馬宴雖是宴席，其實主要是一種儀式。酒菜並不豐盛，大家也只略爲嚐嚐而止。席間每隔半個鐘頭獻一道茶，唱一段摺子戲。一連三道茶，三段摺子戲，全演的科舉功名的內容，諸如商輅三元及第、梁灝八十八歲點狀元之類。

第三段戲演畢，劉昆起身，衆人跟著起身，走到門外上轎，徑直前往貢院入闈。赴宴者剛出大門，久在門外圍觀的百姓便破門蜂擁而入，將宴席上的杯盤果蔬一搶而空，然後將桌子凳子一齊掀翻，再樂呵呵地揚長出門。衙門的差役並不干涉，都在一旁站著觀看。前來搶食的人大半不是因爲飢餓，這有個名目，叫做搶宴，爲自己，或爲親朋在科舉考試中搶個吉利。

當劉昆帶著百餘名闈中官員進了秦淮河畔的江南貢院後，立即便有三千餘名淮軍開了進來。進入闈中的有兩千人，叫做號軍，負責近兩萬名應試士子的試卷發放、送飯送水、號房的開闢打掃以及一切服務性事項。外面有一千餘人，擔負著警戒、巡邏等任務。從這一刻起，往日可以隨意參觀的貢院，立即變得戒備森嚴了。金陵全城無論士農工商，都在談論著這件非同尋常的大事：中斷十二年之久的江南鄉試終於恢復了！

同治三年十一月初八日，一清早便彤雲密布，寒氣逼人。昨夜刮了一個通宵的西北風，氣溫驟然下降，金陵城提前進入隆冬季節了，近兩萬名士子要在今天全部點名入闈。

鄉試定例在八月舉行，以八月初九爲第一場正場，十二日爲第二場正場，十五日爲第三場正場。先一日（初八、十一、十四）點名入場，後一日（初十、十三、十六）交卷出場。一二兩場非到時不開，唯第三場提前於十五日下午放牌，有才思敏捷，或對功名不甚經意的人，這時便交卷出場，好在中秋佳節之夜賞月。每場寅正點名，日落終止。甲子科江南鄉試因為推遲了整整三個月，已是冬季，天亮得晚，點名時刻也因此推遲一個時辰。卯正時刻，貢院外大坪裏人山人海，士子們背著被包，提著考籃，照著先天發下的《貢院坐號便覽》，按省府縣分站在各道門口等候入場。

江南貢院有東西兩道轅門。東轅門牌坊上寫著「明經取士」四個大字，西轅門牌坊上寫著「為國求賢」四個大字。安徽籍士子分在東轅門，江蘇籍士子分在西轅門。每個轅門左右又各有兩道較小點的門。這樣，一共有十道入闈的門。門雖多，但士子近兩萬，每道門口仍有近兩千號人圍在旁邊。每點齊五十名以後，由差役執高腳牌在前引導，士子們跟著牌子魚貫入闈。因為要一一點名驗看，頗費時間，入闈速度很慢。

開始還算安靜。天氣雖冷，士子們因早有準備，都還耐著性子等待。到了巳初時分，突然下起雨來，雨中還夾雜著雪粒。這下可把站在露天坪裏的士子們弄苦了。雖有雨傘斗笠，到底擋不住長時間的雨雪。沒有多久，便一個個身上鋪滿了雪粒子，肩頭、袖口、褲管都漸漸地濕了。尤其可憐的是那些年老體弱和衣衫單薄的人，他們更是冷得瑟瑟發抖，縮頭縮腦地站在轅門外，在寒風欺凌、雨雪敲打之下，再不是一過龍門便身價百倍的士子，彷彿是一羣正在遭受懲罰的罪犯。

人羣混亂了。咒罵天老爺的，吆喝著快點名的，互相拍打雪粒的，各種聲音嘈嘈雜雜，吵得連點名聲都聽不見了，入闈速度越來越慢。忽然，從西轅門外傳來一陣撕心裂肺的慘叫：「爹爹，你老醒醒，你老醒醒呀！」「爺爺，爺爺！」人們都圍了過去。只見一個年愈古稀的老士子直挺挺地躺在泥地上，緊閉雙眼，臉色灰白，已被活活地凍死了。旁邊兩個士子跪在一旁失聲痛哭。有心腸好的士子便過來關照勸慰，有急公仗義的士子便忙著去叫巡邏兵。四周都在悄悄議論：

「這老頭子是誰，這一大把年紀了還來赴試？」

「據說是如皋來的，快八十了，一旁是他的兒子和孫子，兒子都有五十多歲了，孫子也二十多了。」

「老頭子發病幾天了，兒孫勸他莫入闈，他非要進不可，說等了十多年才等到，死都要死在號房裏，這不就應了這句話！」

「哪裏應了？還沒進號房哩！」

「這是凍死的。這個鬼天老爺！主考官行行好，莫點名就好了。」

「哪有這樣的好事！」

說話間過來兩個兵士，將老頭子的屍體抬走了，兒子孫子哭著跟在後面。士子們望著這個慘景，搖頭嘆息道：「可憐呀可憐！客死異鄉，兒子孫子也進不了考場，一家三代都白等了十多年。」

昨夜西北風剛起，曾國藩便醒過來了，爲天氣的驟冷擔憂。他是經歷過一科鄉試、三科會試，在號房裏度過四九三十六天的人，深知闈中之苦。今科鄉試，大不同於一般，天公如此不作美，太使人氣悶了。誰知後來竟下起雨夾雪來，他爲應點士子叫苦不迭。大半天來無心治事看書，不斷打發人到貢院門外去探聽情況。

「大人，如皋籍士子魯光義凍死在西轅門外。」奉命了解情況的趙烈文進來報告。

「啊！」正凝眸呆望窗外雨雪的曾國藩大吃一驚。他回過頭來問，「是不是那個七十八歲的老頭子？」

「正是。現在遺體已被送往清涼寺。他的兒子、孫子和他同來應試，有兩個淮軍士兵幫他們一起料理後事。」

「可惜！」很久後，曾國藩才吐出兩個字來。這個消息使他甚爲不快。七十八歲帶著兒孫赴鄉試，大清立國以來絕無僅有。那天聽了李鴻章的稟報後，也便思考著要圍繞這個題目做一系列好文章。首先該向皇太后、皇上奏報：耄耋老人攜子孫應試，這是皇太后、皇上聖德感化的體現，是孔孟儒學深入人心的生動說明，是長毛滅後國家中興的祥瑞之象。他要借此爲兩江三省讀書人樹個榜樣，鼓勵年輕人奮發努力，慰勉老年人好學不怠。他還想到朝野都會廣泛談論這件罕見的奇事，正史野史都會感興趣地記載下來，爲本就天下矚目的甲子科江南鄉試增添異彩，自己作爲這科鄉試的總策劃人，將會更顯得不同凡響。可是，現在一切都倒過來：光彩將變爲陰影，美談將變作笑柄！

「惠甫，你代我到清涼寺去看看魯光羲的兒子和孫子，並從庫房裏取出四十兩銀子送給他們，叫他們買副棺木，早點將老人入棺，護送回籍，不要在城裏呆久了。」

「好，我就去。」趙烈文答應著，猶豫了一下，又說，「大人，現在雨雪交加，氣候嚴寒，士子們都站在露天坪裏，許多人都受不了，希望不點名，先放他們進去，在號房裏畢竟可以躲避風雨。」

不點名就徑直入闈，這可是鄉試中從未有過的事情，倘若因此亂了考場，將來誰負這個責任？

「大人，士子們都在雨雪中冷得發抖，且六十歲以上的老人有一兩百，若是再出幾個魯光義這樣的人，那就不好收場了。」見曾國藩陰沉著臉不做聲，趙烈文又補了一句。這話果然起了作用。

「惠甫，你先不到清涼寺去了，立即持我的名刺入闈見劉大人，請他下令停止點名，先讓他們都進號，然後再叫點名官挨號一一查驗，發現有混進場者，杖責一百棍，趕出貢院。今後倘若朝廷追究下來，一切責任由我負！」

正在爲因雨雪嚴寒而點名進展太慢發愁的劉昆，聽了趙烈文的轉告後，和平步青一商量，立即下令，大開闈門，不再點名，一律憑《貢院坐號便覽》紙牌趕快入闈進號。這個命令一傳達，尚在轅門外候點的一萬多名士子莫不感激涕零，紛紛高喊：「謝主考大人恩典！」他們自動整隊，舉起紙牌，不到一個時辰，便全部進場完畢。

士子入場後，曾國藩仍放心不下。他自己出身寒素，知道士子中有不少窮苦力學之輩，家境貧寒，衣衫必不厚實，經此雨雪一淋，定然濕了。號房中冷如冰窟，又要冥思苦想作文章，如何耐得了；倘再凍死幾個，如何向皇上交代！他將彭壽頤、劉連捷叫來，要他們立即從湘軍糧台處供調五千件衣服，棉的夾的單的都行，趕快送到貢院，好叫衣衫單薄的士子將濕衣換下。又吩咐闈中廚房速熬薑湯，每個士子發一大碗，以便消寒去濕。到了傍晚，曾國藩又親自乘轎來到貢院，在劉昆陪同下，順著狹窄的小巷，查看了部分號房。見所有的士子都已開始安心應考，生病的也有號軍單獨照顧，一切安謐，這才放下心來。

二　落選士子薛福成上了一道治理兩江萬言書

經過三場九天的苦戰，又經過主考官、同考官以及彌封等闈中執事人員一個月的緊張封抄、審閱、評定，甲子科江南鄉試就要揭曉了。劉昆、平步青、李鴻章、喬松年一致恭請曾國藩寫榜。爲鄉試寫榜，歷來是一種崇高的禮遇，須年高德劭又是翰林出身才行。今科鄉試寫榜人，自然非曾國藩莫屬。所有中式的舉人，也以自己的名字，被這位由文人而建非常武功的三藩之亂後第一漢人來寫，而感到莫大的光榮。盡管這是一樁辛苦的差事，但曾國藩樂意幹。

寫榜這一天，是大比之年最熱鬧的喜慶日子。一大早，貢院外便擠滿了打聽消息和看熱鬧的人。應試的士子本人一般都不去，派僕人去聽，沒有僕人的，就送幾個錢給下榻旅店的伙計，叫他們去聽。僕人和伙計得信後再來報告。這一方面固然是想擺擺士子的架子，更重要的是怕經受不了驟喜或驟悲的巨大刺激，在大庭廣衆中出乖弄醜。貢院內大門有一隊樂工，備齊鑼鼓嗩吶。至公堂大廳裏，寫榜人每寫出一個名字，立即便有人一聲接一聲地遞了出來，樂工便馬上敲響鑼鼓，吹起嗩吶，以示祝賀。名字傳到外面，人羣中即刻響起一陣鼓掌歡呼，僕人或伙計便飛馬奔向旅店報信領賞，用不著第二天張榜，新舉人的名字便已傳開了。

今天，至公堂大廳布置一新，正中一張寬大發亮的條案，案桌邊是一把鋪著虎皮的大太師椅。五張灑金大紅紙上，早有執事人員將今科正榜二百七十三名舉人、副榜四十七名副貢每人所占的位置，用細墨畫好了，單等曾國藩一一填上。

曾國藩青壯年時能寫很端秀的楷書，只因多年不寫了，且目力昏花，精神不支，今天作起正楷來頗覺吃力。榜上的名子是錯不得塗不得的，他每寫十個名字，便停下筆，揉揉眼睛，甩甩手，休息一下。便這樣寫寫停停，到了午刻尚未寫到一半。吃了午飯，睡了半個時辰的覺，他又拿起筆來。天色漸漸暗下來，大廳裏紅燭高燒，笑語喧嘩，四周圍觀的人卻越來越興奮起來。

原來，鄉試和會試一樣，榜上的名字都是從最後一名寫起的。越寫到後來，中式的名次就越在前面，故寫榜的和圍觀的興致也越大。貢院外也是這樣。雖然天已黑，又冷，看熱鬧的不但不減少，反倒越來越多了。轅門外掛起了十條由十五盞燈籠連結而成的燈鏈，把貢院外大坪照得如同白晝。賣各種吃食的小販也從四面八方湧到這裏來，一邊看熱鬧，一邊也賺幾個錢。

當鑼鼓哨吶響過二百二十一次後，曾國藩爲一個名字驚喜不已了。這人便是今科最年少的士子陸宇安！萬啓琛叫了起來：「爵相大人眞是天上的星宿，說話百靈百驗。各位還記得嗎？那天在接官廳裏談論的陸宇安，這不眞的中了！」

李鴻章等人都拍手大笑起來，說：「果然不錯，這陸宇安今後定有大出息！」

曾國藩心裏分外得意，疲勞完全消失了，一連寫下去，再也不揉眼甩手休息了。時間已到半夜，正榜已寫到二百六十八名，劉昆過來悄悄提醒，曾國藩忙停住筆。

大廳裏又忙碌起來，差役搬出十幾對大紅蠟燭，都把它點燃了；又捧出幾十掛萬字號鞭炮。樂工們從貢院大門邊撤回大廳外坪裏，至公堂廂房裏走出五名形貌醜陋的人來。他們被化裝成大頭凸額、眼深頷長的怪樣子，臉上一律塗滿朱砂，掛上滿口紅鬍鬚，頭上戴著烏紗帽，身穿紫紅袍。這是舞台上的魁星裝扮。最熱鬧最好看的鬧五魁就要開始了。

這是一個相沿了幾百年的舊習。明代科舉分五經取士，每經以第一名爲經魁，每科第一名至第五名必須是一經的經魁。後來五經取士的制度廢除了，但鄉試中乃習慣把前五名稱爲五魁。從第五名寫起，最後一名則爲今科鄉試的榜頭，即爲解元。解元名字現出後，鞭炮齊鳴，鼓樂喧天，五魁在大廳裏翻滾跳躍。這就是鬧五魁。就在五魁歡鬧之中，金榜被鄭重張貼於貢院大門外。本科鄉試到此，便以最熱鬧的形式結束了。

一切準備就緒，曾國藩重振精神，飽醮濃墨，寫出五魁的姓名來。清代會試鼎甲中，十之六七必有江南鄉試五魁中的人，所以分外引人注目。

「劉文虎！」人們扯起喉嚨嚷著第五名的名字。這聲音立即傳出轅門外，看熱鬧的人羣中響起雷鳴般的掌聲。

「周祖盛」、「王鐸」、「許殿鳴」，接下來三個名字的報出，又激起陣陣轟鳴。今科解元是誰？大廳裏上百雙眼睛一齊盯著曾國藩手中的兼毫玉管筆，轅門外幾千雙耳朵一齊豎起聆聽傳出的大名。

「江璧！」所有的人都以萬分激動的情緒，呼喊著甲子科解元的名字，盡管這個名字與他們絕無任何關係。這正是人類一種可貴的情感：對傑出人物發自內心的敬重與崇拜！

鞭炮響起來了，鼓樂奏起來了，五魁舞起來了，金榜張貼出去了，雖然有點名那天小小的不快，甲子科江南鄉試，畢竟圓滿結束了。大廳裏的人們在互相道賀，慶祝金陵光復後首科鄉試的成功。曾國藩滿斟兩杯酒，笑吟吟地走到劉昆、平步青的面前，代表兩江父老、兩萬應試士子，特別是中式的新舉人們，向兩位主考官表示深深的謝意。劉昆、平步青坦然接過酒杯，說了幾句客套話後一飲而盡。

「爵相，這是號軍們打掃號房時，從設字號房裏拾來的一封給您的稟帖。」飲完酒後，劉昆從袖口裏摸出一封封閉嚴實的信來。封面上端端正正地寫著：「呈兩江總督曾大人親啓。」

「好，我帶回署去看看。」曾國藩接過信，又笑容滿面地往同考官面前走去。

好久沒有睡過這樣香甜安穩的覺了。臨近丑時回署後，曾國藩倒床便睡著了，一直睡到巳初才醒過來，鬧五魁的熱鬧場面仍在眼前不時浮現。他想起十一年前打起衛道的旗號在衡州出兵，現在，由自己奏請在金陵恢復了江南鄉試，以孔孟詩書取士選賢，又親自爲這科舉人寫榜題名。想到這裏，他心中升騰起一股壯志已酬的自豪感，覺得這件事情的意義，比收復金陵城的意義更大。

他由此而意識到應該以主要的精力履行總督的職責了，過去一再幻想做夔、皐、周公的事業，現在雖不能大行於全國，總可以在兩江施展吧！

兩江素來在全國占有極爲重要的位置，把兩江治理好了，便爲全國樹立了一個樣板，也培育了一批好官種子，待捻亂平息、長毛殘餘淸除後，全國便都可以仿照兩江的樣子整飭。如此，國豈不中興了？自己豈不就是當今的夔、皋、周公？曾國藩覺得彷彿年輕了十歲，全身重新奔流著建功立業的熱血。他猛地記起昨夜劉昆遞給他的那封信，連忙找來，拆開讀著。

打頭一行低幾格寫著：「江蘇無錫籍士子薛福成。」曾國藩回憶昨夜寫的榜上舉人的名字，無論正榜副榜都沒有「薛福成」三個字。「是個落選的士子。」他心裏想。第二行寫著：「恭呈太老夫子元侯中堂節下兩江治理八條」。正思考著治理一個新兩江出來，便有人自獻方略，曾國藩心中歡喜，仔細地看了下去。

薛福成在簡單的幾句歌頌曾國藩平定長毛收復兩江的話之後，隨即提出了養人才、廣墾田、興屯政、治捻寇、清吏治、厚民生、籌海防、挽時變八項建議。每項建議中又都有具體實行措施，並非書生泛泛空談，而其中興屯政、籌海防二策，曾國藩整飭兩江的計劃中還沒考慮過。全篇呈詞，條理精密、文詞清通，洋洋灑灑達萬餘言，結尾幾句尤使曾國藩擊掌叫好。

竊惟天下之將治，必有大人者出而經緯之。十餘年來，節下廓清東南、安靜寰宇之勛，磊磊軒天地，海內抵掌高談之士，豈能誦說萬一？晚生以為，節下戡亂之業，實已過唐之汾陽王、明之新建伯，而今日治理兩江之初，更已見三代賢臣之偉略。節下所處之勢，天子依之，海內信之，建一議，行一政，舉世將視為轉移，不獨兩江父老，普天之下，莫不以伊、傅、周、召以期節下，而節下亦必孚天下之望。大清中興，其翹首可待之事也。

「這樣的人才，居然沒有中式，可惜！」他決定見見這個薛福成。

三　上治理兩江條陳的美少年原來是故人之子

下午，薛福成來了。曾國藩初以爲必是一個老成持重的宿儒，誰知竟是一位翩翩美少年！他叫薛福成。不必拘禮，隨便坐下，然後用慣於相人的目光將這個後生仔細打量了一番。但見此人額高而寬，眉宇疏朗，兩個黑白分明的眼睛裏射出英氣逼人的光芒。「令器美才！」曾國藩在心裏稱讚。

「足下在號房裏寫的條陳，老夫已看過了。今科鄉試，士子如雲，大家都抓緊這幾天難得的機會，按題做好時藝策論，力求精益求精，錦上添花，以便得個功名富貴。足下放開正事不去用心，費如許心思寫此條陳，不覺得得不償失嗎？」曾國藩靠在椅背上，以手梳理花白長鬚，面帶微笑地問薛福成。

「回大人話，晚生一向不樂舉業，此番應考，亦不過慰老母之心罷了。晚生想這讀書識字，其目的在於求取治國治民的大學問，故所樂於思考的在民生國計。這篇條陳，晚生思之甚久，意欲備大人洗刷兩江時作參考，故寧可放棄正提策論不做，也要寫好這篇兩江父老爲晚生所出的論題。」

曾國藩雖是從科舉正途出身的大官僚，卻早在三十歲時，便對科舉考試有些看法，一進北京入翰苑，從一批有眞才實學的朋友身上，很快發現了自己學問上的淺陋。他毅然從八股文中走出來，壹志從事於先輩大家之文，留心時務經濟。並把自己的這個體會詳告在家諸弟，希望諸弟不要役於考卷截搭小題之中，並沉痛地指出：科舉誤人終身多矣。他一貫認爲，考試能夠選拔出人才，但中式的不一定都是人才，落選的也不都是庸才，這中間或有天命在起作用，即所謂功名富貴乃天數。

「小小年紀就能有如此閎通的見識，確實難得。」曾國藩心裏誇獎，嘴上卻說：「民生國計要考慮，八股文也要做好，莫負聖上明經取士爲國求賢的苦心。」

「晚生聽從大人的教導，這次回去後刻苦攻讀，爭取下科中式。」薛福成態度誠懇地回答。

「這就對了。」曾國藩又凝視一眼薛福成，問，「足下所獻治理江南八條，有的放矢，切中時弊，足見足下平素留心民瘼，長於思考。讀聖賢書的目的，內則修身於一己，外則造福於天下。足下以一生員身分，能將兩江整治納於自己的功課之中，看來聖賢書已初步讀懂。今兩江初平，瘡痍滿目，老夫正思整飭，亟欲聽取各方意見。邀請足下來，還想當面聽聽足下對屯政、海防兩策的詳論，足下不妨把胸中所想的都說出來。」

一個功德震世的長者，對晚輩的建議這等奬掖，已使初出茅廬的薛福成十分感動，何況態度如此謙和，語氣如此懇切，更使薛福成大出意外。他略爲思考一下，說：「晚生年輕學淺，在老大人面前一如蒙童牧夫，故也不怕出醜。差錯之處，請老大人多加指敎。」

「你說吧！」曾國藩的眼睛裏流出和靄溫暖的光芒，停了片刻的手又開始在鬍鬚上緩緩地梳理起來。

「屯政始於漢代，有軍屯、民屯。漢武帝在西域屯田，宣帝時趙充國在邊郡屯田，都使用駐軍，此爲軍屯。建安元年，曹操在許下屯田，得穀百萬斛，後推廣到各州郡，由典農官募民耕種，此爲民屯。曹操的民屯不僅使曹魏強盛，也爲日後晋統一全國奠定了雄厚的基礎。這是因爲實行民屯，一則使大批荒田得以開墾，二則又便於推廣先進的耕作技術，獲得高產。一直到唐宋，民屯仍存在。明末屯政廢弛。我朝除有漕運地方的屯田仍隸衛所外，其餘衛所的屯田改隸州縣，名爲民屯，其實屯田已變民田。長毛擾亂江南達十餘年之久，其蘇皖贛一帶所受蹂躪最多，人口大批逃散死亡，目前這幾省荒田極多，無人耕種，有的甚至幾十里內外不見人煙，這就爲今日實行屯政準備了條件。如果老大人採用當年鄧艾在淮上屯田的成法，由官府出面組織百姓耕種，發牛發種，推廣區田法，晚生以爲，蘇皖贛的荒田，不出幾年，就能五穀豐登，爲兩江儲備吃不完的糧食。眼下有一批散員亟須早爲之安定，他們就是一部分裁撤的湘軍。」

薛福成說到這裏停下來，看了一眼曾國藩，曾國藩灼熱的目光也正盯著他。他趕緊說下去：「老大人，晚生聽說，被裁撤的湘軍中，有些人至今仍留在長江兩岸，並未回湖南。原因是這些人湖南原籍本無根基，且久在軍中，不慣家居。有識之士認爲，倘若不將滯留大江兩岸的撤勇妥善處置，這些人貪財嗜殺，必生禍患。有人說哥老會正在聯絡他們，實在可怕得很。」

曾國藩梳理鬍鬚的手輕輕抖了一下。約有兩三萬湘軍裁撤人員滯留沿途各省，沒有回到湖南原籍，此時曾國藩知道，這的確是個隱患。一旦出亂子，不但危害國家，自己作爲湘軍統帥，也難逃咎責，且聽薛福成的處置意見吧。

「晚生建議老大人速派湘軍中有威望的將官，到皖贛等省招集滯留官勇，依過去的哨隊重新組織起來，帶到荒田較多之地實行屯政，並給他們以最優惠的待遇。往日的袍澤依舊在一起，使他們有不散伙之感，有田可耕，有事可做，又使他們不生邪惡之念，而大人得軍餉之利，兩江有富庶之望。」

「這是個好辦法！」曾國藩點點頭，輕輕地說，「既消患於無形，又獲利於實在。關於海防，足下有什麼好設想嗎？」

受到鼓勵的薛福成情緒高漲起來：「晚生以爲，我大清日後眞正的敵手乃海外夷人。夷人憑著堅船利炮藐視天朝，倘若我們不加强海備，挫敗夷人凶焰，不是晚生危言聳聽，我大清總有一天會亡國滅種！」

曾國藩臉上的肌肉抽搐著，記起了胡林翼在安慶江邊留下的遺言，心想，中國的官員和士人都有胡林翼薛福成這樣的明識、這樣的憂患感的話，大清就決不會亡國滅種。

「老大人，我們也要造鐵船，製利炮，非如此，則不能守禦海疆，則不能保國保種！」薛福成幾乎用呼喊的口氣說出這幾句話，這一腔赤子熱血使曾國藩頗受感染。「晚生以爲，老大人前幾年在安慶創辦的內軍械所，可以將它遷移到上海去，並且把它十倍百倍擴大。上海地處海隅，便於鐵船試航；民智開發，人才亦易求。這件事辦好了，影響至爲巨大，說不定我大清自强將肇基於此。」

薛福成這個建議正合曾國藩的心意。半個月前，他收到容閎從美國來的信，說機器已全部買好，即將雇船運回。容閎也建議就在上海建廠，各方面都方便些。曾國藩籌建安慶內軍械所時就想到要在上海建廠，現在條件已具備，當然同意。薛福成也提出這個建議，可見此子有眼力。

「足下這個建議與老夫所想正合。」曾國藩慈祥地望著薛福成，問，「關於整頓江南，足下還有別的什麼想法嗎？」

薛福成想了一下說：「晚生認爲，江南政務的整頓，首在鹽政的整頓，鹽政乃江南第一政務，且弊病最多，朝野都亟盼整治。晚生有志探求，但目前情況還不甚明瞭，亦拿不出什麼好的主意，故不敢妄陳。」

「哦！」曾國藩的兩隻眼睛低垂下來，梳理鬍鬚的左手也不自覺地停止了。他陷入了回憶之中，耳邊響起了一個江南老舉人舒緩的吳音來。

「兩江有三大難治之事，一漕運，二河工，三鹽政，尤其是鹽政，簡直如一團亂麻，但鹽政又是兩江第一大政務。三十年前，陶文毅公總督兩江，花大力氣改革鹽政，一時收效顯著，可惜陶文毅公一死，後繼者無力，新政不能暢行。待到長毛亂起，一切又復舊了。今大人亦爲湖南人，兩江一直不忘湖南人的恩澤，大人一定能超過陶文毅公，把兩江治理得更好。」

那是五年前，還在祁門的時候，曾國藩剛實授江督。一個五十多歲的舉人會試罷歸，翰林院掌院學士竇垿託他帶一封信給昔日老友，於是此人繞道來祁門。在祁門山中昏暗的油燈下，那人與曾國藩縱談通宵，特別對江南的政事、吏事、民事談得透徹。曾國藩從他的談話中對兩江風尚了解甚多，執意請他留下，但那人思家心切，不願留在幕府。曾國藩很是遺憾。當時戰事緊迫，無暇整飭江南政務，遂與之相約，待金陵攻下後再請相助。那人欣然答應，在祁門住了五天後告辭回家。臨走前，曾國藩贈他兩首詩。曾國藩記得，那人姓薛名湘，字曉帆，無錫人。想到這裏，他又看了看眼前的美少年，覺得眉宇之間與薛湘很有點相像。他也姓薛，也是無錫人，難道是薛湘的兒子？

「有一個人，不知足下認識不認識？」曾國藩和氣地問薛福成。

「不知大人問的誰？」薛福成似有所意識，眼中流出喜悅的光彩。

「薛湘薛曉帆先生，足下可曾聽說過？」曾國藩盯著薛福成的眼睛。

「他是晚生的父親。」薛福成淺淺地笑了一下。

「你眞的是曉帆先生的公子？我就猜著了！」曾國藩高興起來，「令尊大人還好嗎？」

「家父已在去年病故。」薛福成輕聲回答。

「哦！」曾國藩長嘆一聲，露出無限惋惜的神情來。薛福成見了，心裏很感動。

「足下是否知道，令尊大人是老夫的朋友？老夫和他有約在先。」問罷，又自言自語地嘆息，「唉，曉帆兄，你怎能失約先行呢？」

這句話，說得薛福成心裏既冷淒淒地，又熱呼呼地，不覺淚水盈眶，彷彿對面坐的不再是八面威風的爵相，而是自己的親叔叔。薛福成深情地說：「家父那年從祁門回家後，時常談起大人對他的厚待，說朝廷又爲兩江放了一位好總督，並將老大人贈給他的詩拿給我們兄弟看。」

「這詩你能記得嗎？」曾國藩問。是借此溫習一下自己的舊作，還是測一測薛福成對它的重視程度，以及他的記誦能力？曾國藩一時自己也弄不清是哪種想法占主要成分。

「記得，記得。老大人當時贈家父兩首五言古風，家父裱掛在中堂，時常誦讀，稱贊大人五言詩深得漢魏精髓，氣逼班氏，情追蘇李，並世無第二人。這第一首是，」薛福成不假思索地背道，「風騷難可熄，推激惟建安。參軍信能事，聲裂才亦殫。寂寞杜陵老，苦爲憂患幹。上承柔澹思，下啓碧海瀾。茫茫望前哲，自立艮獨難。君今抱古調，傾情爲我彈。虛名播九野，內美常不完。相期蓄令德，各護凌風翰。第二首是……」

「好了，不要背下去了。」曾國藩含笑打斷薛福成，語氣換成了對子侄輩的親切隨便，「我問你，你既然知道我是你父親的朋友，爲什麼不直接來見我，要在號房裏寫這樣的條陳呢？」

「老大人，我這次是應試而來，無論試前試後拜謁，都有打通關節之嫌。晚生不想利用那層關係引起老大人的重視，要憑自己的眞才實學來獲得信任。」

「有志氣！」曾國藩脫口稱讚。「你母親身體還好嗎？你有幾兄弟？」

「家母身體還硬朗。兄弟六人，大哥福辰近年在京行醫，其餘都在無錫家中，最小的六弟也有十二歲了。」

「好！」曾國藩輕輕點頭，「我想留你在幕府做點事，你願意嗎？」

能參與號稱人才淵藪的兩江總督幕府，在當時有勝過中進士入翰苑的榮耀，薛福成還有不樂意的嗎？他立即答道：「謝大人栽培！」

曾國藩正要對薛福成勉勵一番，忽然門外響起一陣劈劈啪啪的鞭炮聲，王荊七笑逐顏開地推門進來。

四　踐諾開辦金陵書局

「大人，恭喜了，三姑娘生了位公子，大人你老做外公了！」王荊七笑著對曾國藩打拱。

曾國藩忙站起，滿臉喜氣地問：「母子都還平安嗎？」

「平安，平安！」荊七說，「太太說論月份還差兩個月，怕是旅途辛苦早產了，幸而大小平安，太太喜得直唸：『菩薩保佑，菩薩保佑！』」

曾國藩開心地笑起來。

半個月前，曾紀澤遵父命，護理全家來到江寧。曾國藩二子五女，除大女隨丈夫住湘潭、二女隨丈夫住長沙外，夫人歐陽氏、長子紀澤夫婦、次子紀鴻、三女紀琛與丈夫羅允吉、四女紀純、五女紀芬，還有王荊七的妻子和十歲的兒子，再加上一起前來做客的內兄歐陽秉銓、友人歐陽兆熊一行十二人，與高采烈地抵達江寧督署，空曠冷清的總督衙門頓時熱鬧起來了。

歐陽秉銓從衡陽來，帶來了老父滄溟先生的親筆信。老人今年八十整，與夫人同庚，兩老在一起生活整整六十年了。滄溟先生一生讀書授徒，課子教孫，家境淸貧，人品端方。夫人賢慧能幹，相夫教子。歐陽家夫唱婦隨，兒孫滿堂，早爲遠遠近近的鄉鄰朋友羨慕嘆美。更兼女婿拜相封侯，二老同蒙聖恩，誥封奉直大夫、宜夫人，又老來喜慶結縭六十春秋，這兩樁事更是世之難得。故爲老人夫婦慶賀的那些日子，不僅歐陽一家，遠近幾十里的鄉親們都沉浸在喜慶之中。大家自帶酒菜前來祝福，喜酒一連三天擺了五百桌。老人以異常欣喜的心情，向女婿女兒暢敍這件一生中最爲快慰的事，並嘆道：「此中之樂，乃世間之眞樂也，人生如此，夫復何求！」功名事業已到極頂的曾國藩，不但對老岳父的話從心底深處贊同，並對老人的一生傾慕不已，感慨說：「這或許才是眞正的人生！」

老人信中還對女婿提起另一件事：

十二年前，賢婿在船山公故居許下的諾言，可否記得？羅山壯烈殉國，貞乾馬革裹屍，覺庵、世全亦相繼謝世，所健在者，唯賢婿與老朽也。老朽深恐賢婿軍政繁忙而忘記，故特爲舊事重提。

這樣一件大事，怎麼會忘記呢！儘管王世全贈的那把古劍曾引起咸豐帝的懷疑，幾乎招致不速之禍，儘管它也並沒有如王世全所說的每到子夜便長鳴一聲，但這把古劍的確曾對曾國藩起了鼓舞的作用，增加了他克敵制勝的信心。後來，這把劍又激勵曾國荃攻克金陵的勇氣，果然仗劍進城，成了名垂後世的首功之人。這把古劍眞的是吉祥之物。

且不說船山公的學問文章爲曾國藩傾心悅服，就憑這把劍，他也要踐諾答謝世全先生的厚誼。將兩江總督衙門遷到江寧的那一天，曾國藩便想到在此設立一個印書局，先把船山遺集全部刻印出來，然後再將安慶內軍械所華蘅芳、李善蘭等人這些年來翻譯洋人的書陸續印出，這是一樁嘉惠世人、貽澤後代的大好事，何樂而不爲呢？只是迫切需要興辦的事太多，再加上經費支絀，暫且往後推一下。

歐陽秉銓笑著說：「滌生，這次在大夫第，我跟沅甫談起贈劍刻書的往事。沅甫大驚說：『這裏面還有這樣的故事！大哥送劍給我的時候，並沒有說起王家的交換條件。如此說來，這事該由我來辦，但我現在有病在身，不能如願。這樣吧，我捐銀兩萬，請歐陽小岑先生具體經辦，在南京設局，由大哥出面召集海內名儒編輯校讎，如何？』因此，小岑先生也一道來了。」

歐陽兆熊也笑著說：「九帥仗義行此不朽盛事，使我欲辭不能！」

「哎呀呀，沅甫眞是豪傑之士！」曾國藩高興地大聲稱讚。他心裏淸楚，老九本意，是想用兩萬銀子買來一個重儒尙文的淸名，用以替代老饕的惡諡。雖然不一定能完全如願，但這的確是個聰明的舉動。「小岑兄能慨然應請，也是豪傑之士。道光十九年，小岑兄獨力出資刻印船山公十餘種書，士林交口稱譽，至今不忘。現在可是今非昔比了，有沅甫的兩萬銀子，想必費用已無虞，我再發函邀請些耆望宿儒，他們大概也會給我面子，就在城內正式籌建一個書局，名字就叫——」曾國藩停了片刻，「就叫金陵書局吧！由小岑兄董理其事，世全先生的兒子中也請一個到江寧來。」

「就叫覺庵師的女婿來吧，他在兄弟中最有乃祖之風。」秉銓插話。

「最好，就叫他來，家眷也帶來，住在書局裏。小岑兄，你就花上三年五載，把船山公存世的所有著作，包括道光十九年已刻而後毀於兵火的那十餘種，全都刻出來，每種印四五百部，廣贈天下，讓船山公的學問文章傳遍海內，播我三湘俊士才學超衆之令名，育我百代子孫知書識禮之人格。」曾國藩越說越激動起來，情緒亢奮，神采飛揚，瞬時間，協揆、制軍的官僚氣習不見了，坐在親友面前的，彷彿仍是當年那個赤誠無邪的書生！

「滌生，我行年六十，再也沒有什麼別的奢望了，今生能仗你的聲望和九帥的厚資，將道光十九年未竟的事業完成，此生之願足矣。令我高興的是，你儘管官居一品，戎馬十年，仍不失書生本色，就憑著老朋友這點，我也要盡心盡力把這件事辦好。」

「小岑兄，過幾天就開始動手，你先去城內各處踏勘地址，選一個好地方，先把金陵書局的牌子掛起來。」

作爲一個酷愛書籍有志於名山事業的讀書人，能以自己的力量，將一個自小就受其薰陶，仰其學問的前輩大儒的著作全部刋印行世·實現其後裔盼望多少年而無力完成的宿願，曾國藩覺得這是人生一大快事；作爲以移風易俗、陶鑄世人爲己任的宰相疆吏，能憑藉自己的權勢將一個終生研究孔孟禮制、力求平物我之情息天下之爭，而本身又冰清玉潔節操可風的學者的著述大力推廣，深入人心，曾國藩覺得這又是一番治國要舉。他爲此而興奮而激動，甚至覺得年輕了許多，當年在長沙與綠營一爭高低的盛氣又回來了。加上身旁增加了夫人的體貼照顧，兒女的晨昏定省，長期孤寂的心靈得到慰藉。尤其是十四歲的滿女紀芬，長相憨厚，心靈剔透，每天爹爹前爹爹後的喊著，問字請安，端茶遞水，在父親面前既稚嫩可愛，又略知幾分關心，更深得曾國藩的歡心。

在溫馨的家庭生活中，曾國藩也偶爾會想起陳春燕。儘管她與他生活不到兩年，且未留下一男半女，在曾氏家族中，她不過一縷輕煙，一陣微風，很快便飄逝了，沒有留下任何痕跡。但曾國藩還是想念她。他也曾動過心將春燕的靈柩遷回荷葉塘，以滿足她臨終前的最大願望。但曾家從竟希公起，就無人置妾。曾國華那年討小老婆，作大哥的還從京城寫信規勸，結果自己也違背了家教。曾國藩想來想去，還是覺得不遷爲好，多多少少可以在鄉親後輩面前有所遮蓋。

夫人賢德，兒子上進，女兒孝順。對於這個家庭，曾國藩應該是很滿意了，但近兩年來，他卻有兩點感到不足。一是歲月流逝，老境漸浸，與天下所有老人一樣，曾被罵作「曾剃頭」的湘軍統帥，也羨慕含飴弄孫的天倫之樂。紀澤結婚多年，原配賀氏死於難產，第一個孫子還未出世便與母親一道走了。續配劉氏，結婚五年，生過一子一女，均未及半歲便夭殤。大女二女都未生育，所以他至今還沒有看到第三代，有時想起父親四十一歲做外公，四十九歲做爺爺，比他小十一歲的四弟也做了爺爺時，心裏不免有點惆悵。二是三個女婿都不甚理想。大女婿袁秉楨才不及父，風流則過之，又性情暴戾，女兒在夫家受欺負。歐陽夫人一說起就流淚。二女婿陳遠濟人不蠢，也肯用功，但功名不遂，連個舉人都未中。三女婿羅兆升是羅澤南的次子。羅澤南死時他才十歲，朝廷給羅澤南的飾終很隆重，按巡撫陣亡例賜恤，又賞給羅兆升及其兄羅兆作舉人，一體會試。羅兆升爲庶出，其母把全部希望都寄託在這個恩賞舉人的身上，自小寵愛無比，把羅兆升慣養成一個紈袴子弟。曾國藩不喜歡這個女婿，但早已定好，不能反悔；又看在羅澤南的分上，見他年輕，可以教化，遂在前年爲他們辦了婚事。這次要他們夫婦同來，也想藉此教誨教誨。

聽說三女兒生了個兒子，曾國藩喜不自勝，三步併作兩步來到後院。後院內眷們忙忙碌碌地，一個個喜氣洋洋。過一會兒，歐陽夫人笑容滿面地抱了外孫子出來，請外公看。曾國藩見包在小棉被裏的嬰兒烏青的頭髮，紅粉粉的臉，心中高興，伸出手來，輕輕地摸了一下小臉蛋。

「岳父大人，你老爲孩子取個名字吧！」站在岳母身後的羅兆升，剛滿十八歲，自己還是個孩子，在岳父面前，他顯得靦腆。

曾國藩望著襁褓中的嬰兒，認眞地想了想，說：「他的祖父羅山先生學養深厚，謀略優長，一生爲國爲民，功勳卓著，要讓他踵武其後，繼承祖業才是。我看就以紹祖爲名，以繼業爲字吧！」

「羅紹祖，羅繼業，我的乖兒子！」羅兆升衝著岳母懷中的兒子大聲喊叫，蹦蹦跳跳地，一時得意忘形起來。曾國藩的掃帚眉漸漸皺攏：「允吉。」他輕聲叫著女婿的表字。

羅兆升好像沒有聽見似的，笑嘻嘻地繼續逗弄著兒子。

「允吉！」聲調加高，顯然是不耐煩了。羅兆升見岳父面色嚴肅，這才停止嘻笑，垂手恭立。「你父親臨死時，把你兄弟兩個託付給我。我因戰事繁忙，疏於照看，常覺有負所托。你今日身爲人父，應當時時想到肩上責任的重大，要自身有所成立，日後才好教子。今冬好好在督署用功，明春進京參加會試。」

明春會試一事，羅兆升想都沒想過，在他的日程安排中，這應該是十年以後的事。但他不敢違背岳父大人的意志，只得硬著頭皮答應。

五　兩張告示，三四萬兩銀子就進了海州運判的腰包

這兩個月來，曾國藩集中精力鑽研鹽政，把陶澍當年在江南實行鹽政改革的文書檔案都查看了一遍。還爲此事專門寫了一封長信給左宗棠，請他談談文毅公本人對鹽務新政的評價，也請左宗棠自己發表意見。左宗棠沒有回信。

當時朝廷最大的稅收便是鹽課。食鹽按其產地分爲淮鹽、長蘆鹽、山東鹽、河東鹽、浙鹽、閩鹽、粵鹽、川鹽、滇鹽。其中以淮鹽銷路最大，包括江蘇、安徽、江西、湖北、湖南、河南(部分)六省。故鹽課的大宗是淮課，朝廷對淮鹽的收入極爲重視。嘉道年間，江南疲憊，虧空嚴重。淮鹽每年應行網鹽一百六十餘萬引，上繳稅銀五百萬兩，實則行銷不足一百萬引，上繳鹽課二百萬兩。道光十年，陶澍任兩江總督，在整頓河工、漕務、吏治的同時，又得曠代逸才魏源、包世臣等人的襄助，以横掃一切的魄力，扭轉鹽務的弊端。陶澍首先請准將兩淮鹽務改歸兩江總督兼管，以統一事權，然後從成本、手續、運輸、銷售、人事幾個方面加以改進，又在淮北改行票法。即在淮北交通不便、大鹽引商不肯前往販運的地方，允許資本較小的商人赴分司納課，出給官票，憑票買鹽販賣。陶澍鹽政改革很快收到實效，方便了民衆，又爲國家

增加了收入。但它打擊了鹽官和鹽商，引起他們的怨恨。當時，揚州的牌葉因而新增兩張。一張畫一株桃樹，喻陶澍。得到這張牌的，雖全勝亦全負。故人凡拈此牌，無不痛詬。另一張畫一美女，喻陶澍之女。誰得到這張牌，雖全負亦全勝。故人拈此牌輒喜，並加以戲謔。待到陶澍一死，鹽務新政便衰落下來。太平軍占領兩江之後，陶澍的改革便蕩然無存了。

陶澍死的那年，曾國藩正散館進京，剛入仕途的年輕翰林從那時起，就對這個同鄉前輩欽佩不已，引爲榜樣。「第一步，先把陶澍當年的鹽政舊制恢復過來！」曾國藩作出了這個決定。就在同時，曾國藩抽出一批得力的幕僚，包括彭壽頤、黎庶昌、吳汝綸、張裕釗、薛福成在內，分派到蘇北、淮北、江西、湖廣一帶去調查淮鹽行銷的現況。他沒有忘記那年對黃廷瓚的許諾，特邀黃廷瓚來江寧佐幕，並由黃負責這次整頓鹽政的具體事務。

這些天，黃廷瓚召集從各處調查回來的幕僚們開會，滙報情況，商量治理措施，並將詳情向曾國藩作了稟報。

兩江鹽務弊病極多，甚至可以說是一片黑暗。歸納起來，主要在五個方面：

一爲欠課嚴重。十年來，淮課每年三成只收到一成，朝廷損失大批收入，兩江總督衙門也損失一項大的收入。

二是走私猖獗。走私的手段有夾帶、跑風、整輪、淹補、放生、過籠蒸糕等等，五花八門，挖空心思。

三爲鹽吏腐敗。上自揚州的鹽運使，中到泰州、海州、通州的運判，下至各檢查關卡的吏員們，無不貪汚中飽，敲榨勒索，聚斂的財富多達二三百萬兩銀子，少的也有數萬兩。兩淮鹽運使司所在地揚州的樓閣園林，大半爲發了財的鹽商所建。其中康山草堂最爲豪華，爲一個外號叫張大廐子的人建造。此人原爲一寒士，五十歲外始補通州運判，十年間便擁資百餘萬，在瘦西湖旁買下五十畝地建了這個草堂。草堂主樓高三層，可俯瞰長江，有專門花園賞梅、賞荷、賞桂、賞菊，仿照大內氣派演劇宴客。更爲淫靡的是，堂內建有套房三十間，廻環曲折，外人不辨其路，房內金玉錦繡堆滿其間。每套房間裏住一個美姬，臥床下有通道相連，張大廐子常常夜間宿一房，早起又在另一個房間裏。揚州有個學子仿照劉禹錫的《陋室銘》，寫了一篇《陋吏銘》，辛辣地諷刺這些鹽官：「官不在高，有場則名。才不在深，有鹽則靈。斯雖陋吏，唯利是馨。絲圓堆案白，色減入枰靑。談笑有場商，往來皆灶丁。無須調鶴琴，不離經。無刑錢之聒耳，有酒色之勞形。或借遠公廬，或醉竹西亭。孔子云：『何陋之有？』」當黃廷瓚念出這篇《陋吏銘》時，滿座幕僚都笑了，唯獨曾國藩不笑，他的心在爲兩江吏治的腐敗而震慄，棒色眸子裏迅速聚起兩道兇光。

四爲鹽價高昂。鹽商在沿海鹽場買鹽，每斤不過十餘文，在漢口鎮上岸時，每斤就要賣百來文，在淮北、鄂西、湘西等偏僻地帶，淮鹽售價竟高達每斤一百五十文。許多窮苦百姓買不起鹽，不得不吃淡食，十天半月不沾鹽味是常事。百姓怨聲載道。

五爲鄰私侵奪。正因爲偏僻之地淮鹽售價高，鄰鹽便以路近價廉乘虛而入，侵佔了淮鹽的銷地，影響了淮鹽的銷售。如長蘆鹽侵奪淮北，川鹽侵奪鄂西、湘西，粵鹽侵奪湘南。

面臨著兩江鹽務如此嚴峻的現況，曾國藩苦苦地思索著治理的辦法。白天與幕僚們反覆商討，夜晚又一個人在書房裏獨自考慮。曾國藩認爲，造成鹽務這樣混亂的原因很多，最主要的原因出在吏治不嚴上。不管是恢復陶澍的改革，還是進一步的整頓鹽務，首先都要整飭吏治。而整飭吏治既必須打擊那些民憤極大的貪官汚吏，又要制定新的鹽務章程。現在官場中清正有爲的人太少，貪劣昏庸者到處皆是。曾國藩想起了上個月處理的一樁小事。

一天，江寧藩司送來一份稟報。報告說二月十四日上元縣糧船三艘在距江寧江面三十里處遇大風傾翻，九萬斤糧食全部沉入江底，請免於追究押運人某某的責任。上元縣令說稟報屬實，江寧藩司也照此批覆：「此事屬實，同意免於追究。」曾國藩想，風掀翻糧船，這場風就一定很大，在他的記憶中，二月中旬沒有刮過這樣的風。查當天日記，果然無風雨記載。曾國藩斷定此中有詐，把上元縣和江寧藩司找來訓斥一頓，令他們仔細查訪。後來查實，九萬斤糧食根本沒有沉江，全部私分了，縣丞分得一萬斤。縣令糊塗，聽信了縣丞的話，藩司也不調查，就逕直批了。曾國藩記得，道光三十年他曾上疏，指出官場的現狀是京官退縮、瑣屑，外官敷衍、顢頇，想不到時隔十五年，吏治更壞了，外官除敷衍、顢頇外，還要加四個字：貪劣、卑汚。

曾國藩將章程的制定委託給黃廷瓚去辦，叮囑他多多吸取陶澍當年行之有效的經驗。至於懲治貪官一事，他要親自主持。將幕僚們稟報的典型例子作了排比後，他決定先把海州運判裕祺抓起來。

裕祺是個蒙古人，捐納出身，在海州分司作了八年的運判。此人完全置國法於不顧，凡能謀財之路，他一條都不放過，僅僅八年，便在海州鹽務中撈取了六七十萬兩銀子。裕祺有一絕招，爲其他鹽官所不及。每年開春時，他便藉引商之口，以滯銷爲由，壓低食鹽收購價，弄得池商惶惶不安，只得大家一起湊集三四萬兩銀子給他，千求萬求，他才再出一張告示，藉池商之口，以憐恤灶丁爲由，將鹽價恢復過來。就這樣前後兩張告示，幾萬兩銀子便入了他的腰包。引商、池商無不對他恨之入骨。他是科爾沁左翼後旗人，與僧格林沁有點瓜葛關係，便自稱僧王是他的表哥。僧王是當今皇上的表叔，既是他的表哥，那他豈不也是皇上的表叔？商人們雖不清楚他的底細，見他說得有根有葉，哪個不怕他三分！便都乖乖地聽任他的盤剝。

今年他故技重演。池商們早已作好準備，湊了三萬兩銀子給他，他不收，無奈又加一萬，他仍不收。原來，裕祺看中了一個池商以八千兩銀子從南洋帶回來的一串眞琪楠朝珠。這掛朝珠以碧犀翡翠爲配件，膩軟如泥，潤不留手，香聞半里之外。裕祺的僕人將這個消息透露後，池商們只好又湊集八千兩銀子買下這串朝珠送給他。他這才貼出第二張告示：鹽價照舊。

曾國藩想，裕祺貪婪如虎，就是殺頭亦不過分，先懲辦他不會錯；大不了他眞的是僧格林沁的什麼親戚，抬出僧王來作威脅。曾國藩早就與僧格林沁結下了無名積怨，還正好可藉此敲一敲這個自以爲不可一世的親王哩！

曾國藩先派薛福成悄悄地到海州去，將情況查實，要他聯絡幾個池商，以他們的名義寫一份狀子告上來。海州池商們聽說曾大人要整裕祺，個個踴躍，將裕祺的罪行統統揭了出來。年少氣盛的薛福成對這個貪官恨不得食肉寢皮，他把平生做文章的本事都拿出來，花了三天三夜，紮紮實實地寫了一份狀子。曾國藩看了這份狀子後，立即派巡捕拿了令牌前去海州，將裕祺拘捕歸案。又派彭壽頤暫署海州運判，清查海州分司歷年帳目，把裕祺貪汚數目查清後再抄家。

當彭壽頤和督署巡捕來到海州，宣布兩江總督的命令，鎖拿裕祺，查封裕公館時，海州鹽場無論引商、池商、灶丁以及附近百姓無不拍手稱快。這件事很快傳遍兩江三省，官場爲之一震。

裕祺事先毫無準備，臨上路時，把弟弟裕祥叫到一邊，暗中吩咐：不惜耗費巨資，也要設法打贏這場官司，萬不得已的時候，將他平日所記的另一本帳拿出來，進京找僧王府，請僧王出面，與曾國藩見個高低。

裕祺押到江寧後，曾國藩親自審訊了一次。裕祺不承認他有受賄貪汚的事，至於壓價復價，原是爲了打擊池商的囂張氣焰，逼他們出血，而這筆款子全部用在浚通運河、修繕鹽場上去了，他並沒有貪汚。曾國藩不與他爭辯，將他暫且拘押起來，等彭壽頤清查後的結果再說。

與此同時，裕祺的弟弟裕祥也在緊張地活動。裕祥首先打點了一包珍寶，來到揚州找都轉鹽運使司運使忠廉，求他在曾國藩面前說情。

忠廉是裕祺的頂頭上司，兩人關係非比一般。忠廉是滿人，平生最好的是吃。來揚州後，看中了春末夏初揚子江的鮮鰣魚，常以市場上買的不夠鮮美爲憾。裕祺於是在江上雇了幾個打魚的老手，專門划著小船在焦山附近急流中張網，船上架一座小火爐，爐上置一只銀鍋。網上鰣魚後，就在船上剖殺，然後置於銀鍋內用溫火燉，同時猛划雙槳，直奔揚州城。銀鍋到達都轉衙門時，魚也恰好熟了，香氣四溢。裕祺這個馬屁正好拍到點子上，忠廉十分欣賞，雖知裕祺爲官貪墨，民怨甚大，也不理不睬，任其所爲。

當時，忠廉接到裕祥送的禮物，打量著如何爲他說情。忠廉心裏清楚，裕祺雖貪婪聚斂，但還不是第一號的。兩淮鹽場共有二十三場，屬於淮南者，通州分司轄有九場，泰州分司轄有十一場，海州分司所轄的只有淮北三場。與通州、泰州相比，海州分司轄地最小，能夠勒索的對象自然也最少。裕祺曾親口對他說過這樣一樁委屈事——

那年裕祺到通州運判阿克桂處做客。阿克桂擺闊，從裕祺停舟處起到公館這段路全鋪上猩紅哈喇呢，長達五里，夾道架設燈棚，夜行不秉燭。公館雕樑畫棟，麗如仙闕。一連三天，天天以山珍海味、歌舞大戲招待。席上，阿克桂問裕祺：「你看我這裏還有哪些不如你的意？」裕祺想了很久，找不出瑕疵來，最後雞蛋裏挑刺似地說了兩句：「都好，就是花廳地磚縱橫數尺，類行宮之物，恐招至非議；另書房外池塘魚游水清，若再添滿塘荷芰則更美。」阿克桂不作聲。

兩個時辰後，再邀裕祺在他公館內外走一圈。但見花廳全部換成一尺見方的水磨青磚，池塘裏滿目荷花盛開。裕祺既驚訝不已，又覺得阿克桂太在他面前逞强了。他有一種被奚落感。

現在曾國藩整頓鹽務，先不整阿克桂，卻拿裕祺來祭旗，他爲裕祺抱不平；同時，他壓根兒就反對整理鹽務，因爲整來整去，勢必要整到他的頭上。不過他也知道，這個前湘軍統帥是一個典型的湖南蠻子，要他放棄自己的想法屈從別人，確乎是一件非常困難的事。忠廉在揚州衙門裏想了幾天後，還是乘船來到了江寧城，他素知曾國藩不受苞苴，故一文錢的禮物也沒敢帶。

「大人，裕祺以壓價復價的手腕，從池商手裏敲銀子，當然做法不妥當，但這不是他的發明，歷任海州運判都是這樣幹的呀！」

忠廉年紀與曾國藩不相上下，高高瘦瘦的，背微微有點彎曲。曾國藩透過幕僚們的調查，知道忠廉並不廉，不過比起前任來還算有點節制。兩淮鹽運使，論品級雖只是從三品，論職守卻是天底下頭號肥缺，不是一般人所能撈得到的，凡當過幾年運使的，沒有不發大財的。忠廉當了三年兩淮鹽運使，聚斂的財富還不算太多，手段也不太刻毒，官聲尚可，曾國藩對他也還客氣。

「忠鹽司，鄙人也知歷任海州運判都有些劣跡，但咸豐十年之前，鄙人不任江督，管不著，進江寧城之前，忙於削平長毛，無暇管，現在我有功夫來辦這事了，難道我能眼看他如此胡作非爲而不過問嗎？曾國藩靠在太師椅上，兩隻手鬆鬆地握著扶手，神態安詳地說。對忠廉的說情，他是早有準備的。

「鑒於這個背景，我想請大人對裕祺的處罰予以從寬；且他把這筆銀子用於維修運河，有利鹽船航行也是實情。我作爲他的上峯，，這個情況我清楚。」

「他拿出多少銀子修運河？」曾國藩問，兩眼逼視忠廉。

忠廉事先沒有與裕祥商量好，一時答不出來，眼珠轉了兩下，說：「總在二十五萬左右吧！」

「他自己說有五十萬，你這個上峯隱瞞了他的功勞啊！」曾國藩嘿嘿冷笑兩聲，忠廉的背脊骨被他笑得發麻。「裕祺口裏總是喊著修運河，也的確修過兩次，但這些錢都是引商們出的。他的任上前前後後引商們出了五十萬兩銀子修河，其實用於河工的不足三十萬，其它的都進了他的腰包，而海州段運河至今還沒修好。忠鹽司，你看看這個吧！」

曾國藩從抽屜裏抽出一大疊信函來遞給忠廉，冷冷地說：「這些都是引商們告的狀子，你帶到驛館裏去細細看吧！」

這一大疊信函，猶如一排開花炮彈，把忠廉打得敗下陣來。他喘了一口氣，說：「看在裕祺這些年辛苦操勞，每年爲國家收了近百萬兩鹽課的份上，酌情讓他賠幾萬銀子，給個革職處分算了，再莫交部嚴議抄家了。」

「忠鹽司，像裕祺這樣的人，僅僅革職，賠幾萬銀子，處罰太輕了。法不重，則奸滑者必懷僥倖之心。忠鹽司爲官多年，這個道理想必明白，鄙人也無需多說。他究竟貪汚了多少，我正在派人查核，不會寃枉他。忠鹽司鹽務繁忙，也不必在江寧待得過久，明天就請回揚州去吧！」

這道冷冰冰的逐客令，逼得忠廉再不能多說話，只得訕訕退出。當他將此事告訴專在揚州侯信的裕祥時，前海州運判的弟弟對求情一著失望了。

六　侯門嬌姑爺被裕家派人綁了票

這是忠廉回揚州幾天後的一個傍晚，同往常一樣，夫子廟迎來了它一天中最熱鬧的時刻。秦淮歌舞，素以夜晚爲盛。燈火璀璨，月色朦朧，在燈月之中，這條注滿酒和脂粉的河被一襲五色輕紗所籠罩，歌女畫舫比白日更顯得艷麗媚人，河水變得愈加溫柔，就連那裊裊絲弦聲也格外動聽。一到黃昏，人們從四面八方湧過來，位於河邊的夫子廟更是遊人駐足觀賞的好地方。

夫子廟還正在修復之中，趙烈文有一個壓倒前人的宏偉計劃，完全實現這個計劃要一段時間。舊址上到處搭起了臨時營業的簡易棚子，以賣茶、賣酒、賣小吃食的居多。空坪上常常有一圈圈的人圍著，那多半是走江湖跑碼頭的人在賣藝賣藥，騙幾個錢餬口。更多的是像狗窩似的棚子裏，住著的是從蘇北、皖北逃荒來的流浪者。此處人多店多，比起別處來，混口飯吃容易些。這裏正是所謂重新回到朝廷手中的江寧城的縮影：表面上看起來熱熱鬧鬧、百業復興，其實是汚泥濁水混亂駁雜，絕大部分人飢餓貧困，如處水火，極少數人紙醉金迷，荒淫享樂。歌舞場中隱血淚，繁華窟裏藏汚垢，當時各大都市皆如此，從劇變中剛趨穩定的江寧城，這個特點更爲顯著。

夫子廟西側絲瓜巷裏有一處小小的鳥市，幾個半老頭盤腿坐在地上，每人面前擺幾個竹編籠子，籠子裏關著四五隻鳥兒。這些鳥有的羽毛鮮美，啼聲嘹亮，上上下下地跳個不停；也有的毛色暗淡，呆頭呆腦地，並不起眼。一個柳條編的籠子裏，一隻渾身烏黑發亮、無一根雜毛的鳳頭八哥，對著眼前一位佩玉戴金的富家公子，用生硬的人聲稱叫：「少爺，少爺！」

少爺伸出一個手指插進籠中，逗著八哥，笑著說：「叫羅二爺，羅二爺！」

那鳳頭八哥轉了轉黑黃色的小眼珠，張開口試了幾下，忽然叫道：「羅二爺！」

羅二爺高興得就像關在籠中的雀兒一樣，連蹦帶跳地問：「老頭兒，這隻八哥賣多少錢？」

老頭子知道這是一個難得遇到的買主，一時還想不出合適的價來，於是隨隨便便伸出兩根手指，試探著說：「少爺，這個價。」「二百文？」羅二爺不知這隻八哥究竟值多少錢，隨口問。

「兩百文？少爺，你也太賤看了我老頭子，這樣的會說人話的鳳頭八哥，到哪裏去找！」老頭子的大圓頭搖得像撥浪鼓似的。

「二兩？」羅二爺自覺失言，忙改口。

老頭子又搖搖頭，樣子頗神祕。

羅二爺摸了摸發光的瓜皮帽，睜大著眼睛，自言自語：「總不是二十兩吧！」

「正是二十兩，少爺！」老頭子不急不躁地說，一邊笨手笨腳地往煙鍋裏塡著枯煙葉。

「這麼貴！」羅二爺一隻手已伸進了口袋，摸著袋子裏的銀子。

「少爺，你不知這隻八哥的妙處。」老頭子掏出兩片𥕢石，用力敲打。火星濺到夾在左手指縫中的紙捻上，敲打五六下後，紙捻燃著了。他將紙捻放在煙鍋中，口裏冒出一股濃煙來。他抽了兩口後，拿開煙桿，裂開粗糙的大嘴巴笑道，「這隻八哥產自琉球島，去年我用了十二兩銀子從一個洋商那裏買來。每天用切細的精肉餵養，用胭脂井的水給它喝，用紫金山的泉水給它洗澡，上午帶它到鼓樓聽大戲，下午我親自教它說話。經過大半年調教，它現在可以見人打招呼，什麼話一聽就學得出，還會背唐詩哩！」

「眞的，背一首給二爺聽聽！」羅二爺興致越發高了。

「好，少爺您聽著！」老頭兒丟掉黑不溜秋的煙桿，蹲到柳條籠面前，對著八哥親親熱熱地說：「好乖乖，背一首『春眠不覺曉』給少爺聽！」

說著，遞進一條細長的小蚯蚓。那八哥一口奪去蚯蚓，頸脖子噎了兩噎，死勁地把它吞了下去。好一會兒，才轉了轉小眼珠，口張了幾下，啞啞地叫了起來。

「春眠不覺曉。」經老頭子在一旁念著，羅二爺覺得剛才的啞啞聲，也好像是叫的這五個字。

「再背！」老頭子命令八哥。那鳥兒又啞啞了幾聲。「處處聞啼鳥。」老頭子又在一旁念著。羅二爺細細品味，不錯！是這樣的。那鳥兒又連續叫了十聲，老頭子給它配了音：「『夜來風雨聲，花落知多少。』怎麼樣，背得不錯吧！不是我吹牛，少爺，你就是走遍金陵全城，再也找不出第二隻來。」老頭子笑著說，又拿起了那根老煙桿。

「不錯，不錯，我買了。」羅二爺邊說邊向口袋裏掏錢。一會兒，他漲紅著臉說：「老頭子，我今天帶的錢不夠，你明天這個時候在這裏等我。」

「你說話算數？」

「你說什麼？」羅二爺像受了侮辱似地嚷起來，「我羅二爺有的是銀子，二十兩算得了什麼！明天不來的，就是烏龜王八蛋！」

「少爺身上帶了多少銀子？」老頭子站起來，湊過臉輕聲問。

羅二爺正要答話，不料耳朵給旁邊兩人的對話吸過去了。

「八叔，今天花中蝶號畫舫裏來了一個仙女，我敢擔保，全金陵城裏的美人沒有一個比得上她，就連古代的西施、昭君也不一定超得過。」

「有這樣絕色的女子嗎？那八叔我今晚非得去會會不可，多少銀子一個座位？」

「價就不低，足足五兩！」

「眞的有西施、昭君那樣美，花五兩銀子值得，只怕你小子誆我。」

「八叔，侄兒什麼時候誆過你？若你不滿意，那五兩銀子歸我出，明天我在豔春館請花酒，向你賠罪！」

「這樣說來，八叔我非去不可了。」

這正是羅二爺最感興趣的事！他也顧不得答老頭子的話，手一揮：「莫囉嗦了，明天見！」說罷，便跟在那一叔一侄的後面，向秦淮河走去。

後面，鳥市上的老頭兒們在笑哈哈地談論：

「牛老頭，你也太貪心了，你那隻賴頭鳥五百錢都不値，還要賣二十兩哩！」

「老弟，你莫眼紅，這就是我的運氣。我看這個花花公子定然家財萬貫，二十兩銀子在他來說算不了什麼！」

「牛老頭，我哪裏眼紅，我是爲你好！你不應該讓他走，他口袋裏有幾兩，你就收他幾兩，何必一定要二十兩？」

「我哪裏非要賣二十兩不可。其實他只要拿出二兩來，我就賣了。那兩個該死的，早不來晚不來，偏偏他掏銀子時來了。東不說西不話，偏偏要說婊子，硬把這個羅二爺給迷走了，但願他明天能夠來。若眞的賣了二十兩，我請老弟上水天樓醉一場。」

這羅二爺不是別人，正是兩江總督衙門、一等侯府裏的嬌姑爺恩賞舉人羅兆升。羅兆升跟著那兩人走到桃葉渡口，只見一條畫舫裝飾得份外明艷，艙裏傳出悅耳的琵琶聲和動聽的女人歌喉。羅兆升想：絕代美人一定在這條船上。那叔侄倆踏著跳板，逕向船艙走去，羅兆升緊緊跟上。當羅兆升的腳剛一踏上跳板，走在前面的八叔便高聲喊道：「來啦！」

艙裏立即走出兩條大漢，應聲道：「來啦！」

羅兆升一進艙，畫舫便飛也似地向下游划去。他正在驚疑時，艙口邊那兩條大漢走過來，一個人向他嘴裏猛塞一條汗巾，另一個拿出一塊黑布，將他的雙眼蒙上。羅兆升眼一黑，還沒有明白過來，雙手雙腳便被牢牢地捆住了。

自鳴鐘已指到子正，丈夫還不見回來，三姑娘紀琛坐立不安了。招扶她的老媽子安慰道：「不要緊的，姑爺說不定今夜酒醉了，在朋友家歇息，明天一早就會回來的。」

紀琛坐在床上，一直等到天明，又等了一上午，還是不見丈夫的面，止不住眼淚雙流，告訴了母親。歐陽夫人勸道：「你在坐月子，千萬哭不得，我打發人到他平日常去的朋友家問問。」

羅兆升來江寧不久，朋友少，平素也只有幾家湖南同鄉可走走。到了吃晚飯時，各處都打聽遍了，全不見姑爺的影子。這下歐陽夫人也著急了，晚上將此事告訴丈夫。曾國藩聽了很生氣，說：「都是魏姨太嬌慣壞的，十八九歲作父親的人了，還這樣不懂事，外出冶遊兩天兩夜不歸家。紀澤、紀鴻幸而不像他這樣，若是這個樣子，我早打斷他們的腿了。明天上午再多派幾個人到城外幾家朋友家去問問，待回來後，我要好好教訓他一頓！」

又找了整整一天，羅兆升仍杳無音訊。不但紀琛哭得淚人兒似的，歐陽夫人也哭腫了眼睛，紀純、紀芬都垂淚。總督衙門後院人心不安，都在悄悄議論姑爺。有的說，怕是迷上了哪個青樓女子，不想回家了；有的說，怕是掉到河裏塘裏淹死了。

「夫子，你叫人寫幾百張尋人帖子，四處張貼，或許有作用。」萬般無奈後，歐陽夫人終於向丈夫提出了這個建議。

曾國藩瞪起眼睛呵斥：「眞是婦人之見，哪裏有總督貼告示尋姑爺的，你是怕百姓沒有談笑的話柄啊！」

「那怎麼辦呢？你看三妹子哭得那個樣。她是個坐月子的人，身子虛弱，得了病，害她一世！這兩天，嬰兒都沒有奶了。」歐陽夫人心疼女兒外孫，說著說著，竟放聲大哭起來。

「莫哭了，莫哭了！」曾國藩煩躁起來，「你去勸勸紀琛，快不要哭了，哭有什麼用！我再多派些人四處去找就行了。」

第二天，曾國藩加派了幾個戈什哈，到城內城外到處打探消息；同時悄悄地通知江寧縣和上元縣，凡遇到有被人謀害、跌死、淹死之類的無名屍身時，即速報總督衙門。

就這樣哭哭啼啼、折騰不安地度過了四天。第五天一清早，打掃院子的僕人在石凳上拾到一張無頭帖子。僕人不識字，把它交給了巡捕。巡捕一看，嚇得臉都白了，忙呈遞給總督。曾國藩接過看時，那帖子上寫著這樣幾句話：「裕老爺爲官清廉，無辜被鎖，神人共憤。羅兆升現已被抓獲。放裕老爺回海州，官復原職，則放羅兆升。三日不答覆，撕票！有話傳遞，寫在紙上，放到水西門外黑松林口歪脖子松樹杈上。」

曾國藩氣得臉色鐵青，狠狠地罵道：「無恥！」對巡捕說，「這個無頭帖子不准對任何人說起，誰撿到的？」

「掃院子的吳結巴。」

「你去告訴他，若把此事告訴第二人，我割了他的舌頭！」

巡捕走後，曾國藩獨自坐在簽押房裏，陷入緊張的思索中。原來，羅兆升是被裕祺家買通的人綁票綁走了，這使得曾國藩十分惱火。他先是痛恨裕家的卑污可恥，竟然到了如此惡劣的地步。這哪裏是朝廷的命官家所能幹出的事，分明是綠林響馬的勾當！曾國藩性格中剛烈倔强的一面被激怒了：你裕祺這樣做，我偏要跟你幹一場。不怕你有僧格林沁作後命，你總是我手下的屬員。當初鮑起豹、陳啓邁那樣不可一世，都參下去了，你一個小小的鹽運判算了得什麼！接著他又恨羅兆升不爭氣，假若規規矩矩在督署讀書，與士人們談詩論文，何來被綁架之事？繼則後悔不該叫他們夫婦來江寧，眞正是成事不足，敗事有餘！

曾國藩平生最恨江湖習氣。他想來想去，決定對這些人不能手軟，只有以硬對硬，才能鎮服他們。他拿出紙來，憤怒地寫著：

放了羅兆升，本督對你們考慮寬大處理：若膽敢撕票，你們將被斬盡殺絕，裕祺也逃不掉法網制裁！協辦大學士兩江總督曾國藩親筆。

寫完後，把劉松山叫進來，悄悄地吩咐了一番。

當天下午，劉松山帶著三個武功高强的哨官，都作僕人打扮，一起來到水西門外黑松林，果然見林子口有一株顯眼的歪脖子老松樹。劉松山將曾國藩的親筆字條插在樹杈中，轉身回去，走了幾十步，招呼那三個哨官一起貓著腰，從小道上又來到歪脖子樹邊，埋伏在草叢中，眼睛死死地盯著。只等有人出現，便猛撲過去，將來人抓獲，就此順藤摸瓜，逮住這夥歹徒。

劉松山等人在草叢中趴了半個時辰之久，不見一個人走近歪脖子樹，正在失望之際，黑松林裏飛出一隻兇惡的蒼鷹。那蒼鷹在歪脖子樹上空盤旋了幾圈，忽然，箭一般地衝下來，一個爪子抓起那張字條，哇哇叫了兩聲，又飛上天去。劉松山等人看著，連呼「糟糕」，卻毫無辦法，只得眼睜睜地看著它向林子裏飛去。

第二天早上，吳結巴又拾著一張無頭帖子，上面寫著：「票未撕，裕老爺須從寬處理，否則不客氣！」曾國藩看後冷笑一聲，甩在一邊。他進後院告訴夫人和女兒，羅兆升被强人綁架了，正在設法營救，不要著急，一定可以救得回來的。

曾國藩一面派人盯住黑松林不放，要他們務必尋出個蛛絲馬跡來，同時心裏也開始犯難了。對於裕祺這種敗壞吏治、蠹害鹽務的貪官汚吏，不嚴懲，何以肅國紀平民憤？且這是整飭兩江吏治鹽務的第一炮。第一炮若打不響，威信何在？今後的事情如何辦？倘若認認眞眞地從嚴懲處，羅兆升的性命就有可能保不了。像羅兆升這樣的輕佻公子，若是換成別人，就是死一百個一千個曾國藩也不憐惜。可是這個羅兆升，是羅澤南的兒子，自己的女婿，小外孫的父親。他若有個三長兩短，怎麼對得起爲國捐軀的老友？又怎能忍心讓二十一歲的女兒變成寡婦，剛出世的外孫成爲孤兒？

曾國藩的心在苦苦地承受著煎熬。眞個是左也爲難，右也不是！趙烈文天天來稟報，說裕祺打死只認貪汚了三萬五千兩銀子。紀琛天天來哭訴，求爹爹救救自己的丈夫。整飭鹽務的第一步便進行得如此窩囊，使一心想作伊尹、周公事業的曾國藩倍感氣沮。

就在這個時候，裕祥的第三場戲又密鑼緊鼓地開演了。

七　看到另一本帳簿，曾國藩不得不讓步了

裕祥按哥哥臨上路時交代的，將另一本帳目搬了出來。這是一本專記湘軍長江水師、淮揚水師、寧國水師、太湖水師利用炮船夾帶私鹽的記錄。裕祺用心深遠，早就準備了這一手，以防不測，現在果然派上大用場了。

從同治二年九洑洲被攻破後，長江便全部被湘軍水師所控制。水師將領們藉口軍餉無著，明目張膽地從鹽場低價購鹽，池商不敢阻擋，海州分司運判裕祺也奈何不了，只得另具一帳本，將某年某月某日某人購鹽若干鹽價幾何一一登記造册，並要押船的將領簽字。還有一些水師頭頭爲了個人發財，也利用運軍糧的機會夾帶私鹽，有的被查獲了，分司不敢沒收，便也作了登記。裕祺這樣做，一方面爲防備日後朝廷查詢，另一方面也偸偸記下湘軍水師一筆劣跡，好交給僧格林沁備作他用。這時，裕祥叫人按原樣謄抄一份，把底本轉移公館外，妥善保存起來

。裕祥多方打聽，得知彭壽頤在贛北辦厘局時人言嘖嘖，斷定他是一個在金錢上過不了關的人。

這天深夜，裕祥懷揣了幾張銀票，影子般地閃進彭壽頤下榻的淮海客棧。

「誰？」已睡下尚未睡著的彭壽頤警覺地躍起。

「我。」裕祥低聲答道。

「你是誰？」

「裕祺的弟弟裕祥。」

「你來幹什麼？」彭壽頤預感來者不善，冷冷地責問，欲先來個下馬威。

「彭師爺。」裕祥大大咧咧地走過去，不用招呼，自己在一條凳子上坐了下來，彭壽頤也坐在床沿上，兩人恰好面對面。彭壽頤那年被林啓容割去了右耳，爲了遮醜，他的帽子後沿做得特別長，把耳朵全部蓋住了，讓人看不出。現在剛從被窩裏爬出，頭上光光的，失去了右耳的頭臉格外醜。裕祥強壓住心中的厭惡，滿臉笑容地說，「家兄之事，實是小人陷害，請彭師爺明裁。」

彭壽頤冷笑道：「陷害不陷害，我自會查清，用不著你來講。再說，我看你也像個讀書知禮之輩，裕祺是你的胞兄，你這樣夤夜來訪，就不怕犯打通關節之嫌嗎？」

裕祥並不介意，仍舊笑嘻嘻地說：「兄長被害，我這個做弟弟的不爲他申訴，誰來替他講話呢？彭師爺，常言說得好，與人方便，自己方便，得放手時且放手呀！」

「你這是什麼意思？」彭壽頤怒視裕祥，「你是想要我爲你哥哥隱瞞罪情嗎？」

「彭師爺，您莫生氣，我只想求您在曾大人面前說句公道話。」裕祥點頭哈腰地，一副謙卑之態。

「說什麼話？」

「求您對曾大人說，裕祺的帳都已查清，沒有發現貪污情事。」

「嘿嘿！」彭壽頤又冷笑兩聲，「你說得好輕巧，世上有這樣便宜的事？」

「不會很便宜。」裕祥從靴頁裏掏出一張銀票來，「這是五千兩銀子，只買您這一句話。」

彭壽頤吃了一驚，心想：這裕家出手倒不小氣，但這五千兩銀子，不就買去了自己的操守了嗎？不能要！彭壽頤手一推，銀票從桌面上飄下。裕祥忙彎腰拾起，想了想，又掏出一張來。

「這是一張一萬的，連那一張一共一萬五，如何？」

彭壽頤心一動。一萬五，這可是個不小的數字，師爺當一輩子也積不了這個數目。自己留一萬，將五千分給其他人，封住他們的口，再在帳面上做點手腳，曾大人即使不相信，派人覆查，也不一定查得出。剛一這樣盤算，他又立即意識到不對。這裕祺是曾大人要懲辦的要犯，狀子告得紮實，民憤也很大，怎麼能掩蓋得過呢？一旦暴露，這一萬五千兩銀子，不就把自己的命給買了！

彭壽頤心裏的活動，全讓裕祥看在眼裏。他慢慢地從衣袖口袋裏掏出早已準備好的帳簿來，遞給彭壽頤：「彭師爺，我不會爲難您的，請您把這本帳簿轉呈給曾大人過目。若他不認帳，我們也對不起，進京送給僧王府，煩僧王送給皇上看。」

彭壽頤感到奇怪。他接過帳簿，翻開一頁，只見上面赫然記載著一筆筆湘軍水師夾帶私鹽的帳。再翻幾頁，頁頁如此。彭壽頤全部明白，心裏也踏實了。他故意把帳簿推開：「就一萬五銀子，我給你送？老實告訴你，帳已查清，你哥哥貪汚的銀子近百萬，你就等著抄家驗屍吧！」

裕祥咬了咬牙，終於將靴頁子裏最後一張銀票拿出來：「這裏還有一萬五，一共三萬，我們裕家的全部家當都來了。」

「實話跟你說吧，你要我跟曾大人說，你哥哥完全沒有貪汚之事，你就是拿三十萬銀子來，我也不會說，我要不要腦袋吃飯？」老辣的彭壽頤知道這案子要全部翻過來是不行的，他不敢拿性命開玩笑。

哥哥究竟貪汚了多少，裕祥並沒有底，見彭壽頤這樣强硬，他反而氣餒了：「彭師爺，您看我哥這案子要如何了結？」

「看在你的這番心意上，我去跟曾大人說情，不抄家不充軍，看做得到不。還想依舊當他的海州運判，那是決不可能的事，你掂量著辦吧！同意就這樣，不同意，銀子和帳簿你都拿走。」彭壽頤將銀票和帳簿往裕祥那邊推過去。

裕祥呆了半天，最後說：「彭師爺，就這樣吧，最好不革職，若實在不能保，則千萬請保個不抄家充軍。」

「那好！」彭壽頤皮笑肉不笑地說，「裕二爺，你要想把事情辦成功，今夜這裏發生的一切，你不能透出半個字，懂嗎？」

把裕祥提供的帳簿仔細看了一遍後，深知曾國藩弱點的彭壽頤心中暗暗得意，連那五千兩銀子他都不願分出去了。倒不全是出於心疼，多一人知道便多一分麻煩，況且現在用不著在帳目上做過多手腳，他已有打動曾國藩的足夠力量了。

彭壽頤匆匆從海州趕回江寧，在書房裏單獨面見曾國藩。

「海州分司的帳清得怎樣了？」曾國藩期望獲得重大進展，在鐵的事實面前逼得裕祺不得不認罪，然後再將給他的懲罰減輕一等，以此爲條件求得放票，留下羅兆升一條小命。這些天來，女兒不斷地哀求，夫人不停地勸說，曾國藩看在眼裏，也實在不忍，他在心裏作出了這樣一個折衷的處理設想。

「裕祺的確爲官不廉，這幾年用壓價復價的花招，共敲榨池商銀子二十七萬多兩。不過，他也的確拿出了二十萬用來修浚運河，自己得了七萬多。又從引商那裏索賄八九萬。這兩項加起來，大約有十五六萬兩銀子。比起前任幾屆來，裕祺不算最貪的。海州的百姓講，哪個運判不是混個三四年，弄二三十萬銀子後再走的！」

「十幾萬兩？」曾國藩有點懷疑，他望著彭壽頤的眼睛問，「狀子上告的他至少聚斂了八十萬兩，怎麼相差這樣遠？」

「大人，鹽商們都恨鹽官，誇大其辭是可以理解的。」彭壽頤坦然地接受曾國藩的審視。他知道，這時如果自己的目光稍有迴避，就會引起曾國藩更大的懷疑。在曾國藩身旁十年的江西舉人，對老師洞悉一切的眼力既佩服又畏懼。回江寧的途中，他自我訓練了很多遍，今天臨場

「噢！」曾國藩有點失望，略停一下說，「只當了八年的運判，便貪污十五六萬銀子，也可恨得很。兩江的官吏都像他這樣，百姓還有日子過嗎？」

「大人！」彭壽頤把凳子挪近曾國藩，壓低聲音說，「裕祺雖然可恨，但也有可愛之處。」

「可愛之處？」曾國藩頗覺意外。

「大人有所不知。這三年來，我湘軍長江水師、淮揚水師、寧國水師、太湖水師，因軍餉不足，都在海州鹽場以低價買鹽，再以高價出賣，另外還有不少將官也利用裝糧之便夾帶私鹽。所有這些，裕祺都沒有爲難。他的弟弟裕祥說，湘軍打長毛功勞大，以此換軍餉，或是換點零花錢，我們都支持。卑職將裕祺所記的帳粗算了一下，這幾年湘軍水師公私共在海州鹽場買鹽四萬引，沒有納一文鹽課。也就是說，裕祺利用這批鹽，支援了湘軍水師約一百萬兩銀子。」說著，把裕祥提供的帳簿恭恭敬敬地遞上去。

「沒有這樣的事！長庚，這帳簿是裕祺捏造的，你不要上他的當。」曾國藩隨便翻了幾頁，便將它扔到桌子上。

「大人，卑職已過不惑之年，且在大人幕中這多年，豈不知世上多有僞造帳簿欺矇上峯的事。」彭壽頤不慌不忙地說，「不過，這本帳不是假的。現在大人看的是謄抄本，我看過裕祥保存的原本，有當時運鹽的將領們的親筆簽名，黃翼升、李朝斌的名字都出現過幾次，我認得他們的字，那不是假的。卑職也曾經暗訪過海州鹽場的其他鹽吏，他們都說有這個事。」

「你當時為何不把那個原本要過來？」曾國藩逼視著彭壽頤。

彭壽頤被問得冷汗直流，心裏叫道：好厲害的曾中堂！他很快鎮定下來，答道：「裕祥那天將原本給我看後，我就要他把帳簿留下。他說他要謄抄一份，我同意了。誰知以後送來的不是原本，而是這個抄本。我要他交出原本。他說原本已送到京師去了，倘若曾中堂不能體諒的話，他將請僧王出來說幾句話。」

曾國藩一聽，氣勢低下來了。湘軍水師的這些行徑，他過去雖聽說過，但屢次關於軍餉的奏報，隻字未涉及到這個方面，尤其是大批水師將領夾帶走私，其性質更為嚴重。想不到這些事，居然有人一筆一筆全部記下來了。這些醜聞若經過僧格林沁之口上達天聽，豈不招致皇太后、皇上的震怒！事關他個人和整個湘軍的名聲，不能等閒視之。況且對於長江水師，曾國藩近來有一個異常重要的計劃，這個計劃決不能因這本帳簿而遭到破壞。他已經發信給在渣江休養的彭玉麟，估計彭玉麟就在這幾天內會抵達江寧。

「長庚，你說裕祺這個案子該如何處置更爲妥當。」曾國藩想，看來裕祺的處罰還得減一等，他先套套經辦人的口氣。

「大人，裕祺身爲朝廷命官，掌管海州分司要缺，利用職權，貪污勒索十多萬兩銀子，罪惡很大。論國法，當革職永不敍用，查抄家產，本人流放軍台。以此爲貪墨者戒。」彭壽頤神態凛然，執法甚嚴，與曾國藩的初衷完全吻合。「但是，裕祺有功於我湘軍水師，也即有功於國家，其功可抵去一部分罪。卑職的意思是，革職賠款，遣回原籍，其他可不予追究。」

「這樣處置可是可以，但得有一個條件。」曾國藩慢慢梳理著鬍鬚，說，「你得要他家交出那個原本來，回海州後，你立即派人送給我。」

彭壽頤心想：裕家的財產少說也有五六十萬，裕祥只花了三萬銀子，我就給他保住了這筆財產，他還有什麼話說的！他若硬要保存這個帳本再苛求，我也不怕他，就對他說：「曾大人不怕僧王，你到京師去找僧王吧！」諒他也不會再鬧下去。這樣一想，便壯著膽子說：「卑職一定要他交出原本。」

「還有一個條件。」曾國藩想起姑爺還在裕家人的手中，不能不提出，但又不能明提，想了想說，「你去告訴裕祥，他的哥哥貪贓枉法，民憤極大，本督只給了最輕的處分，要他明白本督有心保護之意，凡是與本案有關的其他一切非法活動都要停止。否則，本督決不寬容！」

彭壽頤不明白話中的具體所指，但這個條件無疑在理，便說：「卑職一定正告裕祥，諒他們兄弟一定會對大人感恩戴德，不敢再有別的妄想。」

曾國藩指示趙烈文，不必再逼裕祺，就以他所承認的三萬五千兩銀子定讞，給他一個革職賠款遣回原籍的處分，並按此奏報朝廷。裕祺放出的第二天，羅兆升也被劉松山從黑松林口接了回來。這個養尊處優的羅二爺，受此折磨，早已瘦得不成人樣了。

裕祺雖未被抄家充軍，但革職賠款的處分也並不輕。這個號稱僧王老表的蒙古鹽官的被懲罰，震動了兩淮鹽場，也震動了兩江三省，各級官吏見風色不對，都開始收斂了。黃廷瓚帶著一班子人制定了幾十個關於鹽務管理的章程，也一一通過頒發，淮北重新推廣票鹽制。兩江各引地鹽價也作了明文限制。曾國藩裁汰了一批不法鹽吏，從甲子科新舉人中選了幾十個操守較好、年歲較大的人去管理各處鹽卡，鹽務有了起色。同時，又奏請蠲免安徽州縣錢糧雜稅及江蘇金壇等五縣的兩年錢漕，百姓算是得了一些實惠。

這時，太子少保、一等輕車都尉、長江水師統領彭玉麟，從渣江老家布衣戚容地來到了江寧。

八 彭玉麟焦山還願

彭玉麟回渣江後，國秀的病短期內有所好轉，但不久又加重了。他百般溫存，延請名醫，不惜重金購買名貴藥材，卻始終不能治癒。國秀終於跟小姑一樣，年紀輕輕地便拋開玉麟，一個人先走了，不同的是，她給玉麟留下了一個兒子。彭玉麟嘆息自己的命苦，對世事看得更淡了。他將國秀安葬在小姑墓旁，每隔三四天便去看望她們一次。他要履行當年離家前夕對小姑亡靈所說的話，在大功告成之後，不戀富貴，重過舊日的清貧生活。於是在斗笠嶺下築一個茅棚，取名退省庵。他住在退省庵裏讀書課子畫梅花，天天依伴著小姑和國秀的怨魂。彭玉麟奏請皇上開缺，讓他在籍養疴。皇上不允，改授他漕運總督，他堅辭不受。皇上只得作罷，依舊將兵部侍郎職還給他，溫旨慰勉安心養病，再膺重任。如果不是曾國藩一連兩封情致深重的信打動了他的懷舊之心，如果不是信中一再說有關於水師的重大事情相商，彭玉麟就將帶著兒子永釗，再也不離開小姑和國秀的墳墓，再也不離開渣江了。他要在退省庵裏退世反省，打發餘生。

曾國藩見彭玉麟心情憂鬱，暫且不跟他談長江水師的事。每天公餘，則邀他品茗下棋，並從江寧城名門望族中借來不少前代丹青名手的眞跡，與他共同欣賞，借以爲他排憂解愁。正好這時戴熙致仕回原籍錢塘，路過江寧，曾國藩盛情款留。

戴熙以翰林三值南書房，官終兵部侍郎，以長於繪事聞名京師。那年就是他爲孫鼎臣畫了一幅《蒼筤谷圖》，後來引得曾國藩和左宗棠都愛不釋手，各人都題了一篇七言古風於其上，成了文壇一段佳話。戴熙久慕彭玉麟大名，且又同爲兵部堂官，同爲畫壇高手，二人一見如故。談詩文，談繪畫，談兵事，談得甚爲投機。臨別時，戴熙送給彭玉麟一幅《錢塘潮湧圖》，彭玉麟回贈一幅《南岳迎客松》。彭玉麟與戴熙相見恨晚，自覺長期拘守渣江，也未免過於孤陋，遂與戴熙約：十年後在杭州西子湖畔也築一個退省庵，一年以一半時間住渣江退省庵，陪小姑、國秀之墳，以一半時間住杭州退省庵，與戴熙等兩浙名士品畫說詩。

彭玉麟心情開朗了，曾國藩歡喜無盡，便將長江水師走私食鹽以及楊岳斌臨去陝甘前夕說的那番話告訴了彭玉麟。彭玉麟嫉惡如仇，聽說水師走私，極爲憤慨，非要一一查明嚴辦不可。對楊岳斌的一席話，自然心有靈犀一點通。他對朝廷和官場的看法，比楊岳斌更深一層，對曾國藩和自己的處境也洞若觀火。他是屬於那種大智大勇、大徹大悟一類的人，當年勸曾國藩蓄勢自立，以及後來自己的功成身退，都不是常人所能想得到做得出的。幾天後，彭玉麟對曾國藩說：

「滌丈，我們明天到鎮江焦山寺去一趟吧！」

「好哇，你有遊山玩水的興致，我奉陪。」曾國藩想，彭玉麟一定是要藉遊焦山的機會談談關於水師的事。

「國秀臨終前對我說，那年她和母親、兄長由浙江投奔在黃州謀食的舅舅，船過鎮江時，長江陡起風浪。風急浪高，船在江上左右顛簸，眼看就要傾覆，母親嚇得哭起來，兄長亦無主意。國秀則面對著高聳江面的焦山寺跪下祈禱，求菩薩保佑，若能使風浪平息，將來為菩薩再塑金身。國秀念過三遍後，果然風平浪靜了。母親喜得直叫：菩薩有靈，菩薩有靈！國秀說，她生前未能還此願，心中不安，要我代她還了這個願，並請菩薩保佑永釗無災無病，長大成人。」

「我明天陪你去還願。」曾國藩望著彭玉麟凝重中略帶淒涼的面色，心頭飄過一絲悲天憫人的意念。他自我感覺到，這種意念從前似乎沒有過。

鎮江城是一個氣勢磅礡、山水形勝之地。長江從城北穿過，江面寬闊，奔流湍激，江中矗立著金山、北固山、焦山，山勢不高但陡峭，林木不深而清幽。一年四季，江浪拍打山崖，濺起沖天水花，它們猶如三座鐵打的金剛，巋然不動。年年月月，江風撫摸著山腰山頂，芳草青翠，百鳥叢集，它們又好比三個浣紗的少女，嬌美婀娜。尤其是那些與它們有關的美麗動人的神怪傳說、歷史故事，諸如水漫金山寺、甘露寺招親、孫劉剁石卜天下、康熙乾隆南巡題詩等等，更使它們顯得神祕莫測，如同三位年高德劭俯視滄桑的歷史老人，幫助後輩緬懷過往，啓廸未來。

曾國藩、彭玉麟，加上另外兩名隨身戈什哈，都作普通百姓裝束，乘坐安慶內軍械所製造的那艘小火輪，淸早從江寧出發，一路劈波斬浪，順水而下，已正到了鎭江城。先登上金山、北固山觀賞一番，在甘露寺吃了齋飯後，便來到了焦山。

一上山，曾國藩立即被眼前的景致所迷住，笑著對彭玉麟說：「雪琴，先莫忙著還願，一還願就脫不了身，我們先四處看看再說，好嗎？」

「滌丈能陪著我來還願，已是天大的面子了，這點小要求，我能不答應嗎？」說完，也舒心地一笑。

焦山因東漢焦光隱居於此而得名，又因山上松竹蒼翠，宛如碧玉浮江，故又名浮玉山。山之東北有兩座巨石雄峙，名爲大小松寥山，古人稱之爲海門。它最高處離海面只有四十多丈，繞山走一周，也只有六百來丈。但這座小島卻琳琅滿目，美不勝收。且不說登山眺望長江的白浪滔天、雄偉開闊的壯觀之景，也不說滿山起伏的桑林，猶如一條寬廣迷人的生命之被覆蓋在它的四周，單是焦山上俯首可拾的前賢遺跡，便足使人沉浸陶醉、流連忘返。

曾國藩和彭玉麟興致勃勃地觀賞了主幹半枯、支幹遒勁的六朝古柏，樹身粗壯、綠葉滿枝的南宋老槐，以及高聳入雲、挺拔傲岸的明代永樂銀杏。接著，二人又携手遊覽了吸江樓、華嚴閣、壯觀亭、觀瀾閣，這裏分別爲觀日出、賞月色、送夕照、聽濤聲的最佳處。樓閣建築得別出心裁，地址選擇得又富詩情畫意，前向忙於鹽務整頓的兩江總督和留戀於亡妻故土的水師統領，身心一時都暫獲寬鬆。

看罷三詔古洞後，他們又在別峯庵鄭板橋讀書處徜徉一陣，只見板橋爲別峯庵題的名聯至今仍在，道是：山光撲面經新雨，江水回頭爲晚晴。彭玉麟讚道：「不愧出自板橋之筆，眞是別具一格！」

二人又來到寶墨軒，這是焦山文物的精粹所在。寶墨軒四壁鑲嵌了自六朝至本朝道光年間的著名碑刻二百多處，珍品極多。這裏有魏法師碑、澄鑑堂法帖、畜狸說碑、蘇東坡遊招隱寺唱和詩碑，還有陶澍所立印心石屋碑，尤爲珍貴的是刻於南朝的上皇山樵所書《瘞鶴銘》。此碑筆力渾穆、結構緊嚴，乃大字之祖，向爲書界推重。曾國藩一生寫字經歷過三次大改變，從柳誠懸到黃山谷到李北海。早年學柳體字時，也曾將《瘞鶴銘》認眞地臨摹過數百遍，今日在此見到原碑，如何不歡喜！曾國藩將此碑格外仔細地看了一遍，又見旁邊一塊小碑上刻了幾百字，介紹它失而復得的過程。

原來，《瘞鶴銘》刻好後，一直豎立在焦山上。唐代宗大歷年間，它失落長江中，在水底躺了三百年，直到北宋熙寧年間，才從江中撈出一塊斷石。一百年後，南宋淳熙年間又打撈出三塊。不料到了明洪武年間，這四塊斷石復又墜江。康熙時，鎭江知府陳鵬年是個金石專家，他不惜巨資募船民打撈，終於在距焦山下游三里處，將這四塊殘石撈了出來。《瘞鶴銘》的坎坷遭遇，令兩位湘中名人嗟嘆不已。

看看天上的紅日將要貼近江面，彭玉麟說：「滌丈，該是我還願的時候了。」

曾國藩笑著說：「看我們玩的，差點誤了你的正事。」

二人併肩來到焦山上的主要建築羣定慧寺。定慧寺原名普濟庵，始建於東漢興平年間，是佛教傳於中國後，最早興建的一批寺廟中的一個。宋時改名爲普濟禪寺，元代又改名爲焦山寺。康熙南巡駐蹕於此，賜名定慧寺。寺內建築宏偉，殿堂衆多，一向爲江南佛教聖地之一。

二人穿過前殿後，來到了大雄寶殿，迎面而來的兩行大字楹聯甚是發人深思：四大皆空明佛性，六根清靜證菩提。寶殿裏塑著佛祖金像，右邊是有求必應堅毅嚴肅身騎白象的普賢菩薩，左邊是聰明睿智笑容可掬跨著雄獅的文殊菩薩。大殿兩側是瞠目齜牙、舞拳踢腿的四大天王。正中供桌上青燈長明，鮮花不謝，香煙繚繞，燭光搖曳。空曠的殿堂莊嚴肅穆、氣象森凜，無一閒雜人員往來，無一輕妄語聲響起。只有大殿一角坐著一個垂老僧人，雙眼微閉，左手伸掌，右手時不時地敲打著木魚。輕脆的木魚聲在高曠的大殿空間廻盪，越發給它增添了一種神聖不可褻瀆的威嚴感。

曾國藩置身其間，頓時感到自己渺小極了。在高不可攀的如來佛面前，一等侯、協辦大學士、太子太保、兩江總督等等令世人目眩的官爵，通通失去了它的光彩。佛法廣大，宇宙無垠，他一個苦海中的俗人，好比大千世界裏的一粒灰塵，漠漠天河中的一顆水珠，微不足道，卑不足稱。與佛祖相比，人的生命太短促了。佛是永恆的。他審視過去、現在、未來三世，他已不知存在了多少年，他還將如天地山川一樣永遠地存在下去，而人生不過是夜空中的閃電，稍縱即逝，如白駒之過隙，轉瞬則非。一時間，曾國藩心中頓起一股無可奈何的悲哀。

遵循祖訓，曾國藩一向不崇佛，但也不排佛，佛教中的重要經典他也涉獵過，尤其是《心經》，他讀過多遍，對其中的一些議論也頗爲心許。今天，在浩浩長江中這個島山的寺廟裏，在經歷過大功殊榮、劇痛奇憂之後，色空幻滅之感，竟隱隱地向他襲來。看著彭玉麟虔誠地跪在蒲墊上，他也身不由己地跟著跪下，拜倒在至高無上普渡衆生的佛祖腳下，耳邊是彭玉麟喃喃的禱告聲，「弟子衡陽信士彭玉麟跪拜在我佛腳下。十五年前，弟子亡妻楊國秀在江上偶遇颶風，船幾傾覆，幸賴我佛無邊法力，使風息浪平，一家安然無恙。亡妻當時曾許下誓願，爲謝我佛恩德，將重塑金身，後因戎馬戰亂未果。今亡妻長辭人世，玉麟代其前來還願。弟子涉千里遠途，具一瓣誠心，謹奉白銀五百兩於桌前。」

說罷站起，從袖口裏抽出一張銀票，恭恭敬敬地放在案桌上，又退下來，重新跪在蒲墊上，對著佛祖頂禮膜拜。曾國藩一直半低著頭，瞇著眼睛不說話，他被彭玉麟的虔誠所感染，對佛生發出一種敬意。

「二位居士請起，小寺住持芥航法師在方丈室裏恭候。」不知什麼時候，曾國藩、彭玉麟的身後來了一位五十餘歲氣宇不俗的和尚。那和尚合十微笑說：「貧僧乃小寺知客，請二位居士隨貧僧到後院去。」

二位宮保大人順從地起身，尾隨著定慧寺的知客僧，從後門走出了大雄寶殿。

九　慧明法師的啓示

定慧寺的後院屋宇衆多，有藏經樓、念佛堂、高堂、大寮、方丈室等等。二人隨著知客僧來到方丈室，一眼看見禪床上盤腿坐著一個極老的和尚，面孔像風乾的柚子皮，三綹長鬚如漂白的苧麻，身軀瘦小得就像一個十四五歲的孩童。曾國藩忽然想起錢起的詩：「只疑雲霧窟，猶有六朝僧。」又想起傳說中識破白蛇精的法海。正在胡思亂想的時候，芥航法師睜開了眼睛，面無表情地指著對面的兩張椅子，口齒清楚地說：「二位居士請坐。」

剛落坐，一個小沙彌就過來獻茶，隨即又端來幾碟鮮果。焦山上的遊客不多，尤其是坐小火輪來的中國遊客還從來沒有過。當曾、彭上山不久，知客僧便把這一情況報告了芥航法師。芥航法師多年不離禪床了，這次他叫幾個年輕和尚抬著到了藏經樓三樓。這是焦山上的最高點，山上所發生的一切，都在這間房子的監視中。芥航看了半天，後來又看到他們來到大雄寶殿，這下看清楚了。他吩咐知客，待他們拜佛完畢，即請來方丈室敍話。

「兩位居士遠道而來，光臨此地，爲荒島寒寺增輝不少，又廣結善緣，捐銀五百兩，老衲代表闔寺僧衆，謝二位居士厚意。不知二位居士爲何贈此巨款？」

彭玉麟將來此還願的事說了一遍。

「善哉，善哉！」芥航左手伸掌，右手捏著胸前的念珠。那念珠棕黑色，光亮鑑人，比一般和尚的念珠要小。「敢問二位居士尊姓，從何處來？」

「鄙人姓江，他是我的表弟，姓王，從江寧城裏來。」曾國藩搶著回答，他不想說出眞實身分，免得多添麻煩。

「聽江居士的口音，像是湖南人？」芥航法師柚子皮似的臉上微露一絲笑意。

「法師明鑑，鄙人正是湖南人。法師緣何對湖南口音如此熟悉？」曾國藩在北京生活過十四年，學得些北京話，平素在湘軍官勇中，他講湘鄉土話，對外則帶一點北方口音，爲的是讓別人聽得懂。

「居士有所不知，老衲俗籍也是湖南。」

「沒有想到，我們與法師竟是鄉親！」彭玉麟高興地用衡陽話說，「請問法師是湖南哪縣人，爲何又到了此地？」

「那是很久以前的事了。」芥航的左手垂下來，右手仍在數念珠，「老衲生在九嶷山下，降世不久，父親即出外謀食。十一歲那年，父親回家，接老衲的母親到揚州去，原來父親在揚州鹽運使司做了一個小吏。船到鎮江時，天色已晚。父親說天明後再過江上岸進揚州。誰知就在那天半夜，一羣強盜上得船來，砍殺了老衲的父母，搶走了船上的銀錢。老衲幸而抱著一塊木板跳下長江，才免於一死。江水把老衲漂送到焦山邊，定慧寺方丈智重長老見老衲可憐，便收留下來。歲月流逝，八十年過去了。

曾國藩心裏一驚，如此說來，這位法師已高齡九十一歲了。他生在乾隆爺年代，正好與六朝柏、南宋松、永樂銀杏般配，合稱焦山四老。曾國藩再細細地看了老法師一眼。他已看出眼前的這個古董，不僅僅是一個脫離塵世八十年，靜觀濤生雲滅的老和尚，更是一個佛學精深、世事通達的智者。

「法師來此八十年了，仍對鄉音分辨得如此清楚，眞不容易。」曾國藩感嘆著。

「老衲對世俗一切都已淡薄，唯獨對生我育我之家鄉懷念不已，近年來此心尤切，這或許就是世俗所說的落葉歸根吧。老衲修身養性八十年，看來仍未脫凡俗。」芥航又露出一絲淺淺的笑容。

這時天色已暗，法師吩咐在方丈室裏擺桌開席，又對曾、彭說：「老衲已經二十多年不與人吃飯了，今日在此遇鄉親，老衲破例陪二位居士吃一頓夜飯。」

曾、彭連聲稱謝。一會兒擺出一桌齋席，雖無魚肉雞鴨，但用豆製品以及各種蔬菜燒烹的齋菜，卻更清香可口，還有那用山上泉水釀的素酒，也很爽潔甜美。芥航法師略微吃了幾片青菜，便不動筷了。

方丈室裏的油燈時明時滅，窗外江水拍打著礁石，發出澎澎湃湃的聲響。風吹著滿山松竹，與江濤合鳴。一切都是天籟，無半點塵世的喧囂。面對著這位銀鬚高僧，彭玉麟恍若置身蓬萊仙島。他忍不住對芥航說：「弟子有一事不明，請法師賜示。」

「居士有何不解之事？」芥航慈祥地問。

「弟子早有皈依我佛之心，但又拋不開塵務。請問法師，弟子是了卻塵務，再皈我佛，還是拋卻塵務，即皈我佛呢？」

「塵務未了，凡心不淨，即便皈依，亦難成正果。以老衲之見，居士不如了卻塵務之後，再皈佛門，日後一定可成正果。」芥航平靜地回答。

彭玉麟點點頭，似有所悟。曾國藩想：老法師之言合情合理，也正合自己之心；倘若勸他即刻皈依佛門的話，我靠誰來整頓水師？他對這位同鄉高僧忽生感激之情了，便也問道：「弟子生性偏激，容不得半點邪惡，生平好為掀天揭地之想，雖亦有些小成，但不順心事居多。請問法師，弟子應奉何法持身？」

「阿彌陀佛！」芥航正色道，「居士嫉惡如仇，正是佛性的表現。去惡即是爲善，除暴方能安良。佛法講大慈大悲，並不寬容殘殺衆生之妖魔。不過，老衲看居士一生鼎盛之期已過，眉宇間陽剛勁氣已趨衰退，有生之年難再有大作爲了。故老衲奉勸居士一句直言：今後總要從波平浪靜處安身，莫從掀天揭地處著想爲好。」

曾國藩聽了，默不作聲。

芥航又說：「老衲觀居士氣概，有我佛普渡衆生之志，但我佛如此宏願，亦非一蹴而就，要靠世世代代衆比丘、比丘尼弘揚佛法，曉喻衆生，方可使世界脫離苦海，同登樂土。方今塵世妖孽猖獗，正氣不張，在此汚泥濁水之中，居士能有成功，亦屬大不易。天下事，豈能由我一人做定？願居士能理解老衲之心，方不致被適才直言所煩惱。」

曾國藩聽這幾句話大有道理，遂轉憂爲喜，合十謝道：「法師之言，大開弟子胸襟，弟子當謹記不忘。」

彭玉麟見法師果然智慧圓通，道行高深，又請教道：「請問法師，這世界近些年內可有承平之日復來？」

芥航搖了搖頭，說：「道光末造，蚩尤作亂，天遣應龍，降妖服魔。今蚩尤雖滅，然綱紀大亂，世道大壞，人心大變，此決非一應龍所能了耳。天下承平，短期內不可復見，至少老衲看不到了。」

曾國藩雖覺悲哀，但不能不佩服法師非凡的眼力。他想，這樣一個年近百歲，身歷五朝，又深明佛理，冷靜睿智的老和尚，大概人世間的一切疑難，他都可以有辦法解決。他目前正爲水師的事著難，雖蒙聖旨寬容，長江水師暫時保留下來了，但今後戰事稍一減少，就有可能再下令撤銷。能有一個什麼妥善的辦法，將它長久地保留下來就好了。那樣，既可以成爲自己終生的「護身坎肩」，又可以作爲湘軍的代表長存於世。在這一點上，他頗爲類似歷史上那些開基創業的帝王，想把自己親手創造的業績千秋萬代地傳下去。如何發問呢？明說不宜，轉曲子又怕講不清。想了好久，想不出好辦法，不如乾脆打土語算了：「弟子有一爲難之事，懇請法師莫嫌俗陋，幫弟子解開難題。」

「居士有何難事，不妨說與老衲聽聽。」芥航停止數念珠，聚精會神地聽曾國藩發問。

「弟子老家所在地，前向風氣極壞，白日搶劫、半夜行盜之事甚多。弟子遂在家中餵養了三十條狗，用來防守家門。現在安靜多了，守門狗無事可作，便欺負鄰里雞鴨，弄得四鄰不安。

請問法師，弟子應如何處置這些狗？」

芥航聽罷，嘴角邊浮起一縷極淡的冷笑，說：「居士可三宰其二。」

曾國藩點點頭，又問：「弟子本意想全部宰掉，可否？」

「不可！」芥航斷然回答，眼睛裏射出兩道與龍鐘老態極不相稱的光芒來，「狗多壞事，無狗亦壞事。居士此舉當愼重。」

曾國藩重重地點了兩下頭，十分贊同法師的高論。他嘆了一口氣，說：「然則弟子亦感爲難，一家豢養十條看門狗，豈不多哉？」

芥航笑而不答，吩咐小沙彌添燭加燈，並對知客說：「取鎭寺之寶來，請二位居士欣賞。」

曾、彭一聽定慧寺還有鎭寺之寶，甚覺意外，心想：這或許是前代帝王所賜的金玉菩薩，或許是從天竺國取來的貝葉眞經之類的東西。

稍頃，知客僧捧著一個用青布包的條形物件進來。芥航親手打開青布，露出黑漆木匣。他從身上掏出一把小小的銅鑰匙來，將木匣上的銅鎖打開，裏面平放著兩卷發黃了的紙。芥航拿出一幅遞給曾國藩，又拿出一幅遞給彭玉麟，說：「二位居士請展開看一看。」

曾、彭懷著莊嚴的心情，小心翼翼地將紙展開，不覺驚了。這紙上既不是寫的佛經，亦不是繪的佛像，一卷是明代楊繼盛上的反對與俺答開放馬市之疏，另一卷也是楊繼盛的奏疏——參劾嚴嵩。清代讀書人，幾乎無人不崇敬楊繼盛，也無人沒有讀過他的這兩篇正氣凜然的奏疏。但所有人都是從史書上讀到的第二手材料，誰都無幸一睹這兩篇名奏的原件。曾國藩那年在翰林院奉旨清查明代舊檔案，曾很留心這兩件奏疏，可惜沒見到。今夜在這個荒涼的島山寺廟裏見到它，正應得上一句老話：踏破鐵鞋無覓處，得來全不費功夫。他感到很奇怪，問芥航：

「敢問法師，楊忠愍公的這兩篇奏疏，是眞跡嗎？」

「不是眞跡，何能稱之爲鎭寺之寶？」芥航微笑道。

彭玉麟也驚訝不已，說：「弟子少時最好讀忠愍公參權奸嚴嵩疏。『蓋嵩好利，天下皆尙貪；嵩好諛，天下皆尙諂。源之弗潔，流何以澄？是敝天下之風俗，大罪十也。』每讀至此，常擊節撫嘆。然世人皆說，忠愍公此兩疏早已不存於世，何以能存於寶剎呢？」

「二位居士且莫驚詫，容老衲慢慢說來。」芥航法師兩隻布滿魚尾紋的眼睛裏再次射出光芒來，曾國藩突然覺悟到，這高僧原來並非超凡脫俗，他的胸中充溢著與世人一樣的善善惡惡的情感，只不過這種情感因他八十年的修行而深深地埋了下去。

芥航法師深情地回憶：「楊忠愍上參劾嚴嵩疏後，蒙寃下詔獄，自知此番沒有出獄的可能了，便暗中打發人叫他的獨生子伯遠趕快離家出逃。伯遠公逃至揚州時，聞父親被嚴嵩殺害在菜市口，悲憤塡膺，立志報仇。他素知嚴嵩心腸歹毒，決不會放過他，海捕文書立即就會下到全國各地，自己將插翅難逃。這天夜裏，伯遠公雇了一隻小船從江北划過來，一直划到焦山邊，悄悄地上了岸。他逕直來到定慧寺——當時叫作焦山寺，找到了住持宏濟法師，表示願意皈依佛門。宏濟法師見伯遠公一表堂堂，知非常人，便收留了他，給他取個法名叫心一。就這樣，伯遠公逃脫了天羅地網般的搜索。十年後，嘉靖皇帝懲辦奸相嚴嵩父子，天下額手稱慶，伯遠公這才向宏濟法師說出了自己的身分。宏濟法師勸他脫去袈裟，還俗進京，繼承父業，爲天下蒼生做點有益的事。伯遠公先是不肯。宏濟長老正色道：『佛家最高宗旨，在使衆生脫離苦海，不重在一身修行。所謂衆生超脫我超脫，說的就是這個意思。普通百姓，無力爲衆生辦事，故投我佛門。我佛慈悲，收一人即渡一人。你乃大忠臣之後，萬民景仰，遇此君主賢明之際，何不承父志濟天下蒼生，而在此作一身之修行，豈不愧對乃父忠魂？亦不合我佛之本意。』伯遠公被說服了，含淚離開焦山寺。回京後，嘉靖皇帝將忠愍公生前所任的兵部員外郎一職賞給了他，並賜還互市、劾嚴兩篇名疏。伯遠公一則報焦山寺救命之恩，二則也怕父親的這兩篇奏疏日後湮滅，遂將它用木匣裝起來，送給宏濟長老，請焦山寺代爲保管。宏濟法師將它定爲鎭寺之寶。從此便一代代傳了下來，一直傳到老衲手中。」

芥航說到這裏停住了。曾國藩邊聽邊想：剛才說芥航法師未脫俗，實際上，定慧寺這座江南名利、佛家聖地也未脫俗。它把楊繼盛的奏疏作爲護寺之寶，這裏面包含著對忠臣義士多大的尊崇！對人世的正義與邪惡有著多麼强烈的是非褒貶！可敬的芥航法師，可敬的定慧寺。曾國藩心裏默默念道。

彭玉麟問：「法師，楊忠愍公的眞跡保存於寶刹三百年，這中間也曾給外人觀賞過嗎？」

芥航答：「三百年來，這件鎭寺之寶只對三個人開過。一是前明史閣部史可法守揚州時，有次來焦山巡視，住持圓鑑法師請他看過。二是康熙帝南巡至焦山，爲寒寺御筆親賜定慧寺三字，爲報聖恩，住持慧明法師請皇上觀賞過。三是乾隆爺南巡，御賜一萬兩銀子重修寺院，那年我已在定慧寺出家，親眼見智重長老打開木匣，請乾隆爺過目。今夜爲二位居士，第四次打開了木匣。」

芥航法師給他們以史可法、康熙帝和乾隆帝一樣的禮遇，使彭玉麟、曾國藩很感動。感動之餘，曾國藩又覺奇怪，這禮遇，決不是彭玉麟的五百兩銀子所能換來的。難道說，自己的身分被這個菩薩似的老法師窺視出來了嗎？他問：「請問法師，楊忠愍公的奏疏既然讓人看過，就必然會傳出去，寶刹不怕它被人盜走嗎？」

「居士問得甚好。」芥航又數起念珠來，一邊說，「康熙爺南巡那次，人多眼雜，慧明法師擔心被歹人得知，於是聘請了十名武林高手作護寺衛士，以防不測。過了些日子，慧明法師又犯起難來，寺廟清靜無爲之地，怎能容得武師？且這樣明目張膽地聘武師，豈不告訴別人，寺裏有寶嗎？慧明法師想了很久，終於想出了一個辦法。」

芥航法師停下來，用眼掃了一下曾國藩，然後又繼續數著念珠說：「慧明法師將這十名武師一律削髮爲僧，塡了度牒，成爲定慧寺的正式比丘。從那時起，定慧寺便仿照少林寺，在寺內練拳習武。有武藝出衆的，便讓他充當寺院的保鏢；沒有，則從外面雇請，雇請的人都一律作僧人打扮。以後方法靈活些了，不再塡度牒，想留則留下，不想留了，隨時可以離寺還俗。就這樣保存了護寺力量，鎭寺之寶也就沒有丟了。」

說罷，芥航又拿眼掃了他們一下。曾國藩覺察到老法師的話是專門對他而說的。他略覺有一種啓發，但一時又聯繫不上來。於是又拿起楊繼盛的奏疏欣賞著，腦子裏慢慢浮現出那位明末忠臣從容就義時的悲壯情景：拖著脚鐐，披著長髮，慷慨走向菜市口，口裏吟著：「浩氣還太虛，丹心照千古。生平未報恩，留作忠魂補。」

「居士！」芥航法師把曾國藩的思緒從歷史煙雲中喚回。「楊忠愍公的奏疏眞跡存於寒寺三百年，今日才只是第四次開啓，居士能不題個字，爲寒寺留作紀念嗎？」

曾國藩笑著說：「老法師給弟子這樣高的禮遇，使我們既感激又慚愧。只是倉促之間，題什麼是好呢？」

芥航說：「居士不必過於謹愼，隨便寫幾個字吧！」

曾國藩對彭玉麟說：「要麼你先寫。」

彭玉麟忙擺手推讓。曾國藩想了想，說：「二十年前，弟子讀《明史》，深爲忠愍公兩疏所感動，認爲乃天地間至情之文，一時心血來潮，寫了幾句四言古風。若法師不嫌鄙陋，弟子就把這篇舊作抄一遍吧！

芥航說：「最好！」

小沙彌送來紙筆，撥亮燈芯，曾國藩揮筆寫道：「古孰無死，曾不可班。輕者鴻毛，重者泰山。楊公正氣，充塞兩間。遺文妙墨，深播人寰。馬市一疏，聲振薄海；更擊賊臣，五奸十罪。心追逄比，身甘菹醢。取義須臾，歸仁千載。翩翩諫草，猶存手稿。古柏挐空，似枯彌好。郁比英風，輔以文藻。長有白虹，燭茲瑰寶。」

他僅僅只將原作的「欲睹手稿」改爲「猶存手稿」，其餘一概照舊。寫罷笑道：「年輕時的塗鴉之作，實不堪入法眼！」

芥航說：「居士之詩可與楊公之疏並爲不朽，請居士落款吧！」

這下把曾國藩難住了。乾脆一瞞到底吧！他心裏想，於是提筆寫道：「同治四年仲夏，洞庭湖俗子江子城敬題於楊忠愍公二疏手跡之後。」

「哈哈哈！」芥航忽然大笑起來，聲音之爽朗，氣概之豪放，竟像一個五六十歲的壯健將軍，曾國藩、彭玉麟相顧失色。「曾大人，不必再在老衲面前自抑了，還是實實在在落下你的大名吧！老衲剛才說過，詩與疏並爲不朽，但它要借曾大人的聲威，可不能憑『江子城』三字呀！」

曾國藩驚問：「老法師何以知我不是江子城而是曾國藩？」

芥航笑道：「二位居士來方丈室之前，老衲已觀察多時了。雖是布衣小帽，舉止之間卻充滿豪氣，老衲心中已知二位非等閒之輩。老衲雖平生未睹大人尊容，但耳畔也曾聽過香客們談論大人的儀表。剛一晤面，便與素日腦中的形象對上了。言談之中，又知從江寧來，湖南人，問的事也不一般，老衲心裏已明白。只不過這位居士，老衲一時還猜不著。」

曾國藩見法師道破眞情，便不再瞞了，指著彭玉麟說：「這位是衡陽彭雪琴先生。」

「啊，你就是善畫梅花的水師統領！老衲久仰了。」

彭玉麟忙起身致意。

「剛才大人所問之事，老衲已猜著三分，現在乾脆明說了吧！」芥航不再數念珠，端坐在禪床上，對曾、彭說，「老衲雖枯坐定慧寺，不出焦山已三十年了，但發生在江南一帶的事，老衲畢竟有所風聞。老衲吃的農夫所種的稻米，穿的村婦所織的袈裟，要說完全脫離紅塵，豈非自欺欺人！故老衲教誡寺中僧衆，既一心禮佛，又關心世事，只不干預耳。自江寧克復後，大人所做的幾樁大事，均合世人之意，老衲從香客的談論中早有所聞。至於裁軍，正所謂看門犬三成已去其二，餘下一成的保存，何不效慧明法師的成法呢？」

曾國藩明白了，芥航是在指點他，要他仿效慧明法師的作法。這樣說來，長江水師也可以換裝，脫下團練服，穿上綠營衣？也就是說，將長江水師由臨時招募的團練改爲國家的經制之師。這一層，曾國藩不是沒有想過，但是他覺得可能性太小了。且聽聽這位活菩薩的意見。

「老法師，您看這學慧明長老的辦法，讓湘軍換裝行得通嗎？」

「行得通！」芥航堅定地說，「以老衲冷眼觀看，當今人主尚有依靠大人之處，且湘軍水師改裝自有它的合法理由。這些理由大人隨便都可以說出幾條。大人不妨去掉顧慮，試一試看。」

「謝謝法師點撥！」曾國藩突然增加了信心。

「不必言謝。」芥航法師又數起念珠來，恢復先前平靜祥和的神態，「老衲細看兩位大人骨相，知彭大人陽剛勁氣充旺，非陰邪之氣所能侵襲，且享高壽，古稀之年再建非常之功。曾大人積勞積憂過重，氣血虧損，日後望少從奇險處著想，多向平易處用力。然治家有方，餘慶不絕，子子孫孫，代有美才，足令世人羨慕稱頌。」

曾、彭再次合十鞠躬。

夜更深沉了，窗外一片漆黑，宇宙間似乎只有江浪松濤的響聲以及定慧寺方丈室裏的燈光。曾國藩和彭玉麟似乎覺得這是一盞智慧的明燈，它能燭照人間的疑惑，洞悉世俗的虞詐。今夜，他們這兩個不幸捲入蝸角之爭的俗客心靈，也不知不覺地感受到了它的光芒的照耀！

十　聯合七省總督支持長江水師改制

回到江寧後，曾國藩和彭玉麟、黃翼升、李朝斌等人進一步商量長江水師的永久保留問題。曾國藩的最大顧慮是：將團練改爲經制之師，這是沒有先例的事，不知朝廷能否同意。芥航法師的所謂「以老衲冷眼觀之」的話，畢竟只是他的看法，是不是朝廷的意思，實在顯得很玄虛。黃翼升、李朝斌說，不管怎樣，先上個摺子再說。彭玉麟思考良久，說出一套完整的設想來：「團練改爲經制之師，沒有前例可援，若是陸軍，此事萬萬不可提，但現在是水師，卻可望獲得准許。一則朝廷鑑於從宣宗爺開始，海疆屢受夷人侵凌，需要建一支海防水師。二則長江水師組建十餘年，有一個現成的規模，有良好的西洋裝備，最有改爲海防水師的條件。三則這些年長江水師的名聲畢竟比陸軍要好些，朝廷對它的猜忌少。」

由長江水師分統出身後任淮揚水師、太湖水師統領的黃翼升、李朝斌完全贊同彭玉麟的分析。黃翼升說：「這麼好的一支水師隊伍，想必朝廷也捨不得把它長期當團練看待。」

李朝斌說：「把長江水師改爲海防水師，眞的讓朝廷撿了大便宜。」

曾國藩想：雪琴前兩條有道理，至於第三條，那是出於他的偏愛，長江水師的名聲比吉字營、霆字營也好不了多少。便笑著說：「依雪琴看來，長江水師改爲經制之師是有十成把握囉！」

彭玉麟說：「十成把握說不上，五成可以打包票。」

黃翼升說：「不只五成，少說也有八成。」

曾國藩搖搖頭說：「八成？我看未必有，還是雪琴估計得穩當，大概五成左右。」

彭玉麟說：「不再走別的途徑，便只有五成把握；若再走一條路，就有可能達到八成。」

「再走哪條路？」李朝斌急著問。

「有一個人，向來支持滌丈和湘軍，找他，一定行。」彭玉麟慢悠悠地說。

「哪一個？」李朝斌脫口問道。

黃翼升說：「你是說找武英殿大學士賈楨？」

曾國藩心裏明白，但不做聲。

「找恭王。」彭玉麟自己回答了。「恭王東山再起，雖失去了議政王的頭銜，但仍是軍機處領班大臣。這說明太后對他既有隔閡，但又不能缺少。湘軍能建大功，一向仰仗恭王的鼎力支持；且恭王在與洋人的交涉中，倍感國勢柔弱的恥辱，多次提出要建海軍，辦工廠，徐圖自强。他一定會全力支持將長江水師改爲國家的海防之師。」

「雪琴，你剛才說恭王和太后仍有隔閡，何況又失去了議政王的頭銜。這樣一件大事，太后會讓他一人作主嗎？」曾國藩問。

「是的，我爲此想了很久。」彭玉麟說，「恭王經前次挫折，處事的顧慮會多一些，很可能不會一人獨自決定。我有一個替恭王著想的主意：請恭王對太后說，長江水師改經制之師，是一件很大的事，可援朝廷處理大事的舊章，由軍機處發文徵求各省總督意見，然後再作決定。」

「假若各省總督意見不一怎麼辦，豈不反而誤了大事？」黃翼升說。

彭玉麟笑著說：「昌歧顧慮得有道理，但沒有具體分析。兩江之外的其他七省總督，我都一一作了揣測。直隸總督劉長佑出於我們湘軍，有利於湘軍的事，他決不會反對。陝甘的楊岳斌就更不用說了，兩廣的毛鴻賓是滌丈的同年，雲貴的勞崇光，我們湖南的鄉賢、滌丈的老友，四川的駱秉章，多年來為長江水師籌過上百萬兩餉銀，他們三個都不會反對，稍有點麻煩的是湖廣的官文和閩浙的左宗棠。」

這的確是兩個關鍵人物。大家都注意聽彭玉麟的分析：「官文這個人很複雜。他既仇視湘軍，又沾了湘軍的光。不是湘軍的勝利，哪有他的一等伯爵？他是個聰明人。據滌丈說，他上次來江寧，背地裏行陷害，表面上對滌丈恭敬，還要說湘軍的好話。此人的特點是貪名貪利，無定識，無風骨，你給他點好處，他就會站在你這邊。我想給太后、皇上的摺子裏，乾脆建議改制後的長江水師統領讓他官文做，我們都做他的副手，他一定會樂意。」

曾國藩想起他創辦湘勇以來，便一貫採取推出一個滿人來領頭的做法，對彭玉麟此計甚為贊許：「雪琴，你這個辦法很高明。」

彭玉麟快活地笑道：「這是向你老學來的。」

李朝斌說：「官文那傢伙對水師狗屁不通，弟兄們哪裏會服他！」

黃翼升說：「你不要急，他只是掛個空銜的。」

李朝斌說：「萬一他要亂干涉呢？」

彭玉麟說：「他這個人聰明就聰明在這裏。知道自己不懂水師，只要有這個空名他就高興了，不會具體插手的。他豈止不懂水師，陸軍他也不懂，錢糧刑穀他樣樣不懂，但他偏偏就當了十多年的湖廣總督，還升了大學士。你說他是草包？他的聰明之處，恰恰表現在他什麼都不管，只管吃喝玩樂、圖享受、討姨太太。凡他掛名的職分內，有了功勞，他是頭一份；出了差錯，都是具體辦事人的。這正是官文做官的訣竅。」

一番話說得這樣的一針見血，大家都開心地笑起來。

「至於左季高，以他的脾性，很可能會反對此舉。不過，左季高畢竟不是官文之流。他識大局，有遠見，懂得建海防水師的重要性。我想，只要跟他說清楚，他也不會盲目反對的。萬一他硬要說我們是私心，也不怕，大家都同意，他一人的力量究竟有限。」

「雪琴的想法很好。不過，這個摺子我不能上。我提出裁撤湘軍，還說一個人都可不留，現在又說要把長江水師改爲經制之師，難以自圓其說，還是請雪琴給太后、皇上上個摺子。」曾國藩望著彭玉麟說，「你看如何？」

「好，我直接向太后奏請。」彭玉麟答得很痛快。

「恭王府那裏最好派一個人去爲好，有些話不便明寫。」隔一會，曾國藩又想起一件事。他腦子裏浮現當年派康福進京的往事，嘆息康福已死，身邊缺少這樣一個文武雙全的人才。

「大人，可以派薛福成去。」黃翼升說，「這個人聰明靈活，兄長又是專給王公大臣看病的名醫，派他去最合適。」

是的，薛福成是個合適的人選，他雖然缺少康福的武功，但在京師，靠著兄長的特殊身分，他又比當年康福有利得多。

「左季高那裏是寫信，還是派人去？」曾國藩自言自語地，那神態看似頗有點爲難。

「左季高目前正在杭州，我自己去走一趟。」彭玉麟自告奮勇，「好幾年沒見面了，我還蠻想他哩！」

「太好了！其他幾位總督那裏，就由我寫信。長江水師的事有雪琴料理，眞比我强多了。」曾國藩放下心來，他佩服彭玉麟的經緯之才，又感激他的仗義之情。

彭玉麟親自爲長江水師的改制寫了一份摺子。先簡述長江水師自組建到壯大的過程，歷數它十多年來的重大戰功；然後轉筆寫自道光中葉以來海疆不寧，屢遭侵襲的慘痛歷史，從中得出建立强大海防之師的重要性；繼則寫長江水師組織嚴密，將才衆多，裝備精良，戰鬥力强，已初具海軍規模；最後講自己本擬終老退省庵，現在決心爲建設大清王朝自己的海軍不辭辛苦，再度出山，鞠躬盡瘁，死而後已。通篇奏摺立論光明磊落，無懈可擊，洋溢著爲國遠慮、爲君分憂的耿耿志士忠心，全無半點要保存一支屬於自己的武裝的私心雜念。曾國藩看後擊節讚嘆。他覺得這篇奏摺是如此地卓爾不羣，簡直爲自己所有的奏章所不可及。有這樣一份摺子奏上去，誰還能有理由阻止長江水師的改制呢？他對著奏章沉吟良久，始終不能從兩種推測中把握一種：究竟是彭玉麟聰明絕頂，善於以最冠冕堂皇的理由掩蓋自己的私人目的呢，還是他的確胸中充塞著憂國憂民的浩然正氣，至情所激而發爲至文呢？不過，有一點是曾國藩最後所確認的，那就是無論是出於前者還是出於後者，他都自嘆不如！

曾國藩由彭玉麟這篇奏疏得到啓發：如果將道光中葉以來，洋人與我們海上接仗的歷史如實地排列出來，把它作爲這個奏疏的附件的話，它將會以慘重的教訓使閱讀此奏者，更爲清醒地認識到建立海軍的必要性，而不得不從心裏贊同長江水師的改制。

兩江總督幕府有的是這方面的人才，以汪士鐸爲首的編纂處立即組成。他們苦幹了七日七夜，終於編成一篇四萬字的《華夷海戰三十年大事記》，並謄抄兩份。一份存底，一份連同彭玉麟的奏疏，由薛福成親自送到北京恭王府。

果然如曾、彭所料，這篇奏疏連同附件引起了恭王奕訢、軍機大臣文祥等人的高度重視，連兩宮太后也爲之動容。恭王建議，爲愼重起見，命軍機處將彭奏和《大事記》一併發給直隸、陝甘、四川、閩浙、湖廣、兩廣、雲貴各省總督，要他們就此事各抒己見。這時，彭玉麟也親赴杭州遊說左宗棠。出乎彭玉麟的意料，左宗棠聽完他的陳述後立即表態：完全贊成長江水師改編爲朝廷的經制之師。至於建海軍一事，左宗棠勸彭玉麟不必著急。第一步要藉此良機將長江水師整頓好，把不稱職者盡行汰去，寧缺勿濫。第二步再做好長江兩岸的巡守，保衛內河商船、民船的航行，並認眞訓練人才。第三步則以狼山鎮爲基地，籌備外海水師，保衛海疆，抵禦外寇。現在先行第一步。並說他將以此覆奏軍機處。彭玉麟爲左宗棠光風霽月般的胸襟所感動，臨別時緊握老朋友的手說：「今後長江水師的整頓、建制等方面，還請你多多指導。」左宗棠當仁不讓地點頭應允。

官文也給曾國藩、彭玉麟來了信，說我大淸王朝早就應該建海軍了，長江水師已是海軍雛形，理應改爲經制之師，永遠存在下去。又說自己於水師不懂，假若今後眞的兼了海軍統領，那是無比榮幸的事，還請曾、彭多多輔佐，共創偉業。曾國藩、彭玉麟閱後，會心一笑。

楊岳斌接到軍機處的諮文後十分激動，連夜命幕僚起草，以最堅定的態度支持此事。並說它將是我中國千古未有之大事，必會使宣宗爺、先帝含笑於九泉。又說自己寧可不當陝甘總督，願去改制後的水師充當一個偏裨將校。

劉長佑、駱秉章、毛鴻賓都明確表示贊成此事。只有年邁的勞崇光態度比較含糊，既表示同意，又說要愼重，讀完全篇，也不知他究竟是贊成還是不贊成。不過，勞崇光在七位總督中的地位，只與毛鴻賓相上下，都是屬於沒有戰功一類的，遠不如左、楊、官、劉、駱，何況他也沒有明白反對。長江水師改爲經制之師，就這樣順順當當地通過了。皇太后接受了左宗棠的建議，籌建海軍一事暫緩，先把水師整頓好，以巡守長江爲主要職務。更令他們興奮的是，朝廷任命彭玉麟爲統領，並沒有官文的名字，那個好名的大學士空喜了一場。

彭玉麟日夜與黃翼升、李朝斌等人計議，擬出了一個章程：統領之下設提督兩員，由黃、李分任；建岳州、漢陽、湖口、瓜州、狼山五鎭，設總兵五人；立營二十四個，戰船七百七十四號，營官二十四員，哨官七百七十四員，兵士一萬二千人。鑑於水師中受賞大銜的很多，而實際營哨官只有八百來名，僧多粥少，不夠分配，彭玉麟又想出一個點子：以大銜借補小缺。按銜高低排，同銜的按資歷排。這樣排下去，許多銜位高達參將、游擊的，也只能當千總、把總。雖略覺委屈，他們也樂意。銜是空的，職務才是實的，千總、把總雖低，總比那些有銜無職的要强多了。長江水師原有二萬人，彭玉麟對這支人馬作了整頓。沒有戰功的，疲沓的，走私的，吸食鴉片的，有結黨嫌疑的，統統予以裁撤。長江水師開始有了新氣象。曾國藩對彭玉麟的整頓完全放心，他自己則把主要精力放在吏治上。

他素來服膺王陽明的「破山中賊易，破心中賊難」的觀點，認爲正人心、厚風俗、扭轉世風要比破長毛下金陵更難，而世風的好壞主要繫於當政者。最高當政者以自己的人格和才能爲表率，默運於淵深微漠之中，慢慢地引起身邊人效法，再向全國各級官吏推廣，這樣就可以形成一種强大的勢力。憑著這股勢力，人心可正派，風俗可淳厚。因而，他自己盡量做到以身作則，試圖以此來感染身邊的幕僚們，把他們培養成好的種子，撒到兩江三省去，影響各府州縣的官吏，從而逐漸把兩江的風氣扭轉過來。爲達此目的，他自己辦事比先前更加勤勉。州縣凡命案都要由他最後裁決，又經常派幕僚們下去查訪吏治民情。繼裕祺之後，又革掉了幾個民憤很大的貪官，代之以幕僚中德才兼備者。

這時容閎從海外回來，大批從英美購來的機器母機也運到吳淞口。曾國藩大力表彰了容閎的忠心和才幹，並安排他和楊國棟、徐壽、華蘅芳、李善蘭等人，在上海籌辦機器製造總局，把安慶內軍械所的大部分機器遷過去，小部分留下，作爲上海總局的分局。

皇上念及功臣，特爲降旨，爲曾國藩的一等侯之上褒加「毅勇」二字，曾國荃的一等伯之上褒加「威毅」二字，李鴻章的一等伯之上褒加「肅毅」二字。曾國藩心中歡喜。

正當曾國藩爲兩江的振興而努力的時候，清軍與捻軍交戰的前線傳來令人震驚的消息。這個消息打亂了他的全盤計劃，逼迫他不得不重上戰場，最終使他由一個勝利者變爲失敗者。

第三章　三辭江督

一　北上征捻前夕，爲家中婦女訂下功課表

原來，僧格林沁的部隊在山東曹州中了捻軍的埋伏，全軍覆沒，他本人也被捻軍砍下了頭顱。噩耗震動朝野，兩宮太后下令輟朝三日，爲滿蒙親貴眼中巨星的殞落致哀。

僧格林沁與曾國藩同爲帶兵與太平軍作戰的大員，本應和衷共濟，聯合對敵，但實際上他們則形同水火，勢不兩立。僧格林沁自以爲了不起，瞧不起湘軍。湘軍打下金陵，他又眼紅，又不服輸：堂堂大淸國戚、蒙古親王怎能不如漢族書生？他發誓要在兩年內剿平活躍在皖、豫、魯一帶的捻軍，企望以此來壓倒江南漢人的功勛聲望。僧格林沁求勝心切，驅使著馬隊晝夜不息地跟在捻軍後面追趕。

捻，是北方人對社團組織的稱謂。捻即揑，將分散的力量揑合起來，形成一股勢力。入捻有一定的手續與儀式，其成員都是社會底層的人，諸如貧苦農民、船夫、漁夫、飢民、無業游民、小手工業者以及破產失業的人等等。捻衆的鬥爭，表現在以聯合的力量抗糧抗差，吃大戶，護送走私鹽販，有時大股外出打劫財物，側重在經濟方面。後來太平天國起義，逐漸吸引捻衆的鬥爭轉向政治方面，並與太平軍取得了聯繫。

咸豐五年，各路捻軍首領百餘人聚會安徽蒙城縣雉河集。會議決定成立聯盟，推張樂行爲盟主，號稱大漢永王，下設軍師、司馬、先鋒等職，祭告天地，宣布以推翻清朝廷爲目的，在安徽、河南、山東等地風風火火地鬧開了，給太平軍以有力的支持。後來，天京被湘軍攻下，太平軍大勢已去，捻軍也受到極大的挫折。遵王賴文光、扶王陳得才、首王范汝增等太平軍將領率領一部分人和捻軍結成一股，並對捻軍進行整頓改編，沿用太平天國的年號、曆法、封號和印信，以復興太平天國爲自己的戰鬥目標。這支新捻軍的主要領袖有遵王賴文光、梁王張宗禹、魯王任化邦和荊王牛洪。四王共同商議，定下一條引魚上鈎的計策，將僧格林沁的隊伍誘到山東曹州高樓寨包圍圈裏，在這裏全殲僧部，寫下了捻軍史的輝煌一頁。

對於僧格林沁覆沒的下場，曾國藩早有所料。他一向厭惡這個驕橫暴虐的親王。金陵攻下不久，僧格林沁的部下在湖北被圍，朝廷急調曾國藩赴鄂皖交界處救援，曾國藩不去。後朝廷又命湘軍派部赴河南接受僧格林沁的調遣，他也藉故不派。他要坐看這個虛驕的親王的失敗。現在，僧格林沁眞的失敗了，而且敗得如此之慘，曾國藩得訊之初，著實有點天理昭彰、報應不爽的感覺。但很快他就意識到，這其實對他是很不利的，因爲僧格林沁一死，與捻作戰的主帥很可能就會是他。

果然，僧格林沁死後不到十天，曾國藩便接到命其星夜出省前赴山東督剿的上諭。上諭並命李鴻章暫行署理兩江總督，劉郇膏暫行護理江蘇巡撫。

曾國藩極不情願再上戰場。湘軍陸師裁撤得差不多了，名將星散，人員銳減。金陵只有五千人，此外就是駐寧國的劉松山部、駐太平的張詩日部，加起來不過八千。捻軍馬隊強大，湘軍無騎兵。長江水師不能北上守黃河。這三個基本情況，決定了湘軍不能與捻軍作戰，至少不能星夜出省。他對朝廷明知這些情況而嚴旨催促感到不滿。此外，捻軍活動的範圍達湖北、河南、安徽、山東、江蘇五省，要與五省督撫協同作戰，在如此廣闊的地方與捻軍周旋，都不是易事。更何況芥航法師「一生鼎盛時期已過」、「莫從掀天揭地處著想，要在風平浪靜處安身」的話，對曾國藩也影響至深。於是他上奏皇太后、皇上：「臣精力日衰，不任艱巨，更事愈久，心膽愈小，懇恩另簡知兵大員督辦北路軍務，稍寬臣之責任，臣仍當以閑散人員效力行間。」

曾國藩知朝廷最慮京畿之安全，以及僧格林沁殘部的安頓，他與李鴻章商量後，決定調潘鼎新率淮軍五千人赴天津以衛畿輔，調劉銘傳率部赴濟寧，借以安定濟寧僧部老營的軍心。李鴻章最喜任事，他看準了湘軍元氣已竭，剿捻非得淮軍不可，他要在捻戰中把淮軍的聲威大大提高，最後將湘軍比下去，他自己也便青出於藍而勝於藍了。李鴻章重施當年淮軍下上海的氣概，用輪船將潘鼎新部五千人由海運赴天津，又命劉銘傳帶領所部速赴濟寧。

曾國藩的奏請不但未得到朝廷的批准，反而給他一個節制直隸、山東、河南三省旗綠各營及地方文武員弁的大權。曾國藩一面上疏推辭節制三省之命，一面知君命不能違抗，開始調兵遣將，準備北上。

留在金陵的湘軍，有不願北去的，曾國藩准予他們回籍，命張詩日回湖南再招募。鮑超新近得一等子爵的榮譽，勁頭很足，主動請纓，曾國藩叫他再招募四千，將霆軍擴大到八千人。又調淮軍張樹聲、周盛波部。考慮到淮軍是李鴻章兄弟的部隊，於是又請旨調甘涼道李鶴章辦理行營營務，又要李鴻章派滿弟李昭慶赴營。這一次過江與捻軍作戰，曾國藩總覺凶多吉少，想起年已五十五歲，身體日漸衰弱，說不定會死在這次戰役中，將公事料理得差不多後，曾國藩又將家事作了佈置。

談起家事，歐陽夫人第一關心的是剩下的一子二女的婚事。次子紀鴻今年滿十八歲了，還沒完婚，她要丈夫離江寧前辦了這場喜事。曾國藩不主張早婚，他自己二十三歲才結婚。當年紀澤完婚時，他原本不同意，嫌早了，但拗不過父命，只得照辦。現在夫人援引先例，他自己也變成了純老人心態，巴望子女早日完婚，自己能多添幾個孫兒孫女，也便欣然同意了。紀鴻剛滿一歲時，曾國藩就與翰苑同僚郭霈霖結下了兒女親家。郭家女兒長紀鴻三歲，據說而今已長成一個閑雅幽靜、知書識禮的大家閨秀。郭霈霖在咸豐九年死去，女兒跟著母親住在湖北黃州府老家。一個月前，郭家還來信說，女兒已經二十一歲了，希望曾家能早點定下婚期。曾國藩擇了一個吉日，由紀澤出面，代表男家乘船前往郭府迎親。

四女紀純，早定了郭嵩燾的次子郭剛基。眼下郭嵩燾在廣東做巡撫，幾次來信催送媳婦過門，他將派火輪船來接，取道海上赴廣州。對這個方案，曾國藩不同意。他認爲嘉禮盡可安和中度，何必冒大洋風濤之險，不如選擇郭氏老家湘陰爲宜。既然去年郭嵩燾嫁女可以在湘陰，由郭昆燾主持，爲什麼今年娶婦不可以這樣辦呢？郭嵩燾的意思還是在廣州好，到時可以由他作父親的親自主持，婚事辦得更隆重些。

郭嵩燾這幾年在廣州得罪了鄉紳，又與總督毛鴻賓不太融洽，心情不甚舒暢，有辭官回籍之念，想趁在任時，熱熱鬧鬧爲兒子辦了婚事。去年，郭嵩燾以老朋友的身分向左宗棠指出，不應該借洪天貴福的事大肆指責曾國荃，並說曾國藩在他最困難的時候有大恩於他，希望他主動與曾國藩和好如初。誰知反倒惹得左宗棠勃然大怒。他決不同意郭嵩燾把公私混爲一談的說法，不能因曾國藩有恩於己就不指責其弟放走洪天貴福的大錯。要說恩德，左宗棠說，他對曾國藩的恩德更大，於是列舉了好幾條：一，曾國藩的出山是因本督的推荐；二，曾國藩在長沙辦團練，受鮑起豹、陶恩培等人的欺侮，是本督予以保護；三，靖港之敗，是本督力勸曾國藩不要自殺；四，咸豐六年到八年，曾國藩在江西期間，本督爲湘軍提供餉銀二百九十一萬五千兩。左宗棠氣憤地說，這些大恩大德，曾國藩成功後隻字不提，反而說本督不應該指責老九，是曾國藩先不對，除非曾氏兄弟先向本督道歉，否則，「本督將終生不理睬」。

接到這封信後，郭嵩燾哭笑不得。心裏想：當年若不是我在京師找潘祖蔭等人爲你左宗棠上疏求情，你的頭早就沒有了，哪還有今天「本督」「本督」的神氣？我以老朋友、救命恩人的身分規勸幾句，你都這樣擺架子，何況別人！你左宗棠哪怕眞的就是當今的諸葛亮，我也不和你交往了。郭嵩燾一氣，從那時起便和左宗棠斷了交，逢人便說左宗棠忘恩負義，居功自傲，不是君子。由此，他更相信自己的摯友、親家受了傷害，心中大爲不平。他理解曾國藩不願將女兒送到廣州的苦衷，同意女家送三千里，男家迎二千里的方案，定今年冬天在湘陰老家舉行儀式。四女的婚事算是妥了。

至於滿女的婚事，他決定再緩一下。已結婚的三個女婿，曾國藩都不太滿意，尤其是羅兆升的事發生後，他心裏更是惱火：倘若不是夾雜著這個花花公子在內，怎麼可能會受裕祺的挾制？這個事情早晚都會傳出去的，必將是一生中的盛德之累。他把女兒、女婿叫到跟前，告訴他們作好準備回湘鄉。紀琛不願意離開娘，婆母刁悍，她有點畏懼。羅兆升則巴不得離開江寧，那次把他嚇怕了，他怕哪天會不明不白地被人拋屍荒郊。

也許出於爹娘疼滿崽的心理，曾國藩特別喜歡這個滿女。他看滿女長得一臉寬厚和平的福相，愈加感到要慎重地為她選一個有出息、靠得住的夫婿，以彌補她幾乎自生下來就缺乏父愛的不足。

曾國藩又親手為媳婦和女兒們訂了一個功課表，分為四事。一食事：早飯後做小菜、點心、酒醬之類；二衣事：巳午刻，紡花或績麻；三細工：中飯後，做針黹刺繡之類；四粗工：酉刻後做鞋或縫衣，一直到二更收工。他怕自己離家後，女兒媳婦們不能切實執行，於是又在功課後寫上一段話：

吾家男子于看讀寫作四字缺一不可，婦女于衣食粗細四字缺一不可。吾已教訓數年，總未做出一定規矩。吾即將北上剿捻，特定此日課，請夫人督促，親自驗功。食則每日驗一次，衣事則三日驗一次，粗工則每月驗一次。每月須做成男鞋一雙、女鞋一隻。吾回江寧後，當作一總驗。家勤則興，人勤則健。既勤且健，永不貧賤。

還有一件大事沒有完成。

老九回籍後，曾國藩勉勵他百戰歸來再讀書，而他從小就對讀書缺乏興趣，這點，做大哥的自然清楚。眼下老九雖處境不利，但他畢竟立了大功，又以巡撫之高位開缺，且年富力强，今後必有再起之時。翰林出身的大哥有責任幫助兄弟在學識文章方面提高一步。這半年來，曾國藩從前代著名奏疏中選了匡衡、賈誼、劉向、諸葛亮、陸贄、蘇軾、朱熹、王守仁等人的十七篇，摹仿經筵官給皇上講經的形式，對每篇疏從內容到行文分段予以詳細批解，最後又給一個總評，並針對此篇再闡述一段爲文之道。曾國藩自信，當今天下，上自帝師，下至鄉塾，能對歷代名奏疏分析得如此深刻精細的人不多。他從心裏樂於做這件事。他要以此作爲酬謝九弟的禮物。

從咸豐三年在長沙辦團練算起，到現在整整十四年過去了。十四年的戰火生涯使他深深地懂得，在戰事上自己實際上是不行的，不要說沙場上的揮戈馳馬、身先士卒，他一個文弱書生根本望塵莫及。這一點，當然不能苛求於帶兵的統帥，但如果具備了，如像岳飛、戚繼光那樣，就能在士卒中更有威信，這且不說了。統帥最應具備的熟讀兵書、洞悉全局、知己知彼、多謀善斷、上知天文、下識地理、審時度勢、出奇制勝等等才能，歷次的失敗已反覆證明自己或不具備，或尚欠缺。過去在翰林院，常覺得自己可以做諸葛亮、李泌一類的人物，現在看來，那眞是文人的孟浪。正好比李太白一樣。詩文中的豪言壯語橫掃一切，古今英傑都不在他的眼裏，其實並沒有處世事的能力，以致於捲入永王造反的漩渦，險些丟了性命。曾國藩常常想，倘若自己有諸葛亮、李泌、裴度、王守仁那樣的統帥之才，金陵早就攻下了，長毛也早就平定了，用不著等到同治三年。要說自己在這方面還有點長處的話，那就是尙有自知之明，注意網羅將才，並放手讓他們去幹。前期靠的是塔齊布、羅澤南、李續賓、胡林翼，後期靠的是彭玉麟、楊岳斌、鮑超、左宗棠、李鴻章、曾國荃，尤其功勞巨大的就是自己這個胞弟老九！他眞感謝父母送給他這樣一個爭氣的好兄弟！正因爲老九的不可磨滅的功勛，使得他這個統帥在世人面前維持住了應有的體面。出於感激，在汪海洋等殘部消滅後，朝廷要曾國藩再報一個兒子的履歷給予蔭封時，他沒有報紀鴻，卻報了曾國荃的長子紀瑞。也是出於感激，他要輔導弟弟讀書作文。這半年來，不管事情如何多，精力如何不濟，曾國藩對此絲毫不怠。

他原想先批奏疏，再批古文，再批詩詞，他甚至還想爲九弟批幾部小說。當時帶兵的將領大多喜歡讀《三國演義》。曾國藩討厭這部書，他認爲書中講的打仗的事純粹是胡扯。他看重的是《紅樓夢》《水滸傳》和《閱微草堂筆記》。尤其是《紅樓夢》，把人情世態寫得那樣入木三分，常令他拍案叫絕。他知道曹霑是前江南織造曹顒的兒子，還特地到江寧織造局去仔細地查看過署中的花園，尋覓大觀園的舊跡，並興致勃勃地向織造春年詢問曹家舊事和五次接駕的盛況。關於這三部書，曾國藩有不少感想，他也想與弟弟筆談。現在又要出征了，只得擱下。爲表示對這件事的重視，他要紀澤將已完成的奏疏批解部分，恭恭正正地用小楷謄抄好，命人送回荷葉塘。

曾國藩對兒子的學問文章都不太滿意，令他滿意的是兒子的書法。紀澤從小好寫字，他也便有意在這方面加以引導。十四歲離京時，紀澤已打下了紮實的基礎。後幾年雖不能當面一一指點，曾國藩也常在家信中耐心地向兒子傳授寫字的要訣，並時常要兒子寄字來由他批。兒子的字深得二王閫奧，端秀飄逸，時下大官員家裏的子弟，很少有幾個寫得出這樣好的字來。只是筆力不足，秀逸中缺乏剛勁之氣，正如他的爲人一樣，這大概秉於母親的天性。這點，曾國藩知道無法改變。因此，他不希望兒子今後當大官，尤其不能插手兵事，倘若能中進士點翰林，謀一個校書衡文的清閑之職，做父親的就感到滿足了。經過十天的日夜苦抄，紀澤把父親半年來的成果抄好了，又細心地裝訂成一册。

「父親大人，兒子邊抄邊學，受益極大。兒子心想，這本稿子，不但對九叔極有用，而且對後世學者都很有啓迪，可以單獨成一本書。你老乾脆給他取個名字吧！」紀澤送上抄本時，鄭重向父親建議。

「好哇！」曾國藩翻閱著兒子的抄本，見字字俊秀，頁頁清爽，很是高興。他望著兒子問，「取個什麼名字呢？」

「這要由父親定了，兒子豈敢妄議。」紀澤兄弟一向對父親敬之如神，畏之如虎，剛才的建議能被父親欣然採納，已使他大喜過望了，哪裏還敢得隴望蜀。

「好，你回書房去，我想想看。」

曾國藩背手在屋子裏踱了幾個來回，然後坐在案桌邊磨墨援筆，在抄本的扉頁上題下了幾行字：

《棠棣》爲燕兄弟之作，《小宛》爲兄弟相戒以免禍之詩，而皆以脊令起興。蓋脊令之性最急，其用情最切。故《棠棣》以喻急難之誼，而《小宛》以喻征邁努力之忱。余久困兵間，溫甫沅甫兩弟之從軍，其初皆因急難而來。沅甫堅忍果摯，遂成大功，余用是獲免於戾。因與沅弟常以暇逸相誡，期于夙興夜寐，無忝所生。爰取兩詩脊令之旨，名其堂曰鳴原堂，名斯稿爲《鳴原堂論文》。曾國藩記。

「大人，李中丞已來江寧，現住在妙香庵裏，他等候大人的接見。」孔巡捕推門進來報告。

「他這麼著急，就來接篆了？」曾國藩心裏頓時不舒服起來，他揮手對孔巡捕說，「知道了，你出去吧！」

以這種態度對待自己的得意門生、江蘇巡撫、一等肅毅伯李鴻章，使孔巡捕大出意外。他不敢再問，悄悄退了下來。剛出門，又被曾國藩喊回：「你到妙香庵去稟告李中丞，就說我今下午去拜訪他。」

轉瞬之間的突然變化，更使孔巡捕摸不著頭腦。他答應一聲，便飛馬奔出總督衙門。孔巡捕哪裏知道，就在這轉瞬之間，曾國藩的腦子裏想了很多很多。

二 炮聲爲北征大壯行色，卻驚死了統帥唯一的小外孫

曾國藩不情願再上戰場，當然也就不情願交出兩江總督的關防。去年十月，朝廷命他帶兵赴皖鄂一帶協助僧格林沁平捻，當時也叫李鴻章署理江督。李鴻章興沖沖地從蘇州趕到江寧，恩師卻滿臉陰雲，絕口不提交印之事。李鴻章何等乖覺！見此情景，便也隻字不提此事，只是說來看看恩師，問問何時啓程。過幾天又一道上諭下來，安徽戰事有起色，曾國藩不必離江寧。李鴻章空喜一場，掃興回到蘇州。曾國藩從中看出李鴻章官癮太重，權欲太重，又聯繫到他

投降的往事和貪財好貨傳聞，對這幾年來把他作爲自己的傳人有意栽培，覺得有些不妥。

曾國藩觀人用人，一向主張德才兼備，而更偏重於德。認爲德若水之源，才若水之波；德若木之根，才若木之枝。德而無才，則近於愚人；才而無德，則近於小人。二者不可兼時，與其無德而近於小人，毋寧無才而近於愚人。李鴻章不患無才，曾國藩甚至認爲他的臨機應變以及與洋人交往等方面的才幹要强過自己，李鴻章所患正在德上。自己一貫的這個用人準則，恰恰在選定傳人替手這個最重要的關頭上失誤了，曾國藩爲此隱隱心痛。而這次，他居然又迫不及待地趕來接印，曾國藩眞想不見他，讓他在城外冷落幾天後再說。然而這個想法剛一露頭，又立即改變了。

李鴻章已被扶植起來了，現在爵高位顯，手裏有五萬用洋槍洋炮武裝起來的强悍淮軍，正所謂「羽翮已就，橫絕四海」，今後繼承自己名位事業的，已非李鴻章莫屬了。德再差，只要不走到起兵謀反的地步，就不可能動搖現有的地位。曾國藩已不能開罪於自己的門生了，更何況這次是必定要離江寧交督篆的，而剿捻的主力還得要靠淮軍，怎麼能憑意氣辦事呢？不但不能冷落他，還要示之以破格之禮！

下午，曾國藩正準備更衣出署，孔巡捕來報：「李中丞來了！」

「請！」

一會兒，李鴻章大步走進了簽押房。幾個月不見，四十三歲的淮軍統領似乎更顯得神采煥發了，對照自己日益衰瘦的身體，曾國藩更覺得昔日的門生，有一股咄咄逼人的氣勢向他壓來。他笑著打招呼：「少荃近來可好？」

「托恩師洪福，門生賤軀尚可。」李鴻章仍然是已往一樣的謙恭，他暗喜老師這次的態度與上次大不相同了，但他仍然不敢說出自己的眞正來意。「這兩天在鎭江查看城防，想起多日不見恩師，放心不下，特來看望。」

「少荃，你來得正好。」李鴻章這幾句假話當然瞞不過曾國藩，但現在他不計較這些了。「明天就在這裏舉行交接督篆的儀式吧！」

「明天？恩師一切都準備好了？」李鴻章按捺不住心中的驚喜。

「準不準備好，都容不得我再呆在江寧了，催行的上諭昨天又來了一道。」曾國藩苦笑著，一副無可奈何的神態。

「僧王新殞，捻戰無主帥，聖慮焦灼，中外倚恩師爲砥柱。恩師受命誓師，天下人心方可安定。」李鴻章說，態度是誠懇的。

「少荃，我這根砥柱是建在你和你的淮軍之上，有你和淮軍作爲基礎，砥柱方可立於中流。」曾國藩目視李鴻章，右手已習慣地抬起來，在鬍鬚上來回梳理著。

「恩師言重了！」李鴻章誠惶誠恐地說，「當初恩師讓門生招募淮軍，就已預見了這一步。如今淮軍能夠供恩師驅馳，這不只是門生個人的榮幸，更是整個淮軍的榮幸。」李鴻章說到這裏，似乎動了眞情，眼角有點紅了。

這幾句話使曾國藩感到欣慰。是的，自己當年的選擇是不錯的，李鴻章畢竟爭了氣，把淮軍訓練出來了。這就是他的大過人之處，眼下這個世界，要的正是這樣的人才。

「少荃，我跟你說句眞心話，你千萬不要誤會。」曾國藩安詳地望著英俊豪邁的門生，平靜地說。

「不知恩師有何賜教？」李鴻章卻不安起來。心想：一定是有什麼把柄落到老頭子的手裏，少不了有一頓嚴厲的訓斥。他作好準備，現在這個時候，不管老頭子說什麼，哪怕完全不是事實，也要全部接受過來，決不還嘴，決不分辯。

「少荃，我要趁這機會向太后、皇上辭去兩江總督的職務，由你來正式擔任。」

曾國藩的眼光分明昏花多了，但在李鴻章的眼裏，這昏花的眼光背後依然埋藏著昔日的犀利、陰冷！他不由自主地打了一個寒顫，不明白老師的弦外之音，趕緊說：「恩師，門生奉聖命暫且護理督篆，兩江一切舉措，悉遵恩師舊章。待恩師凱旋，門生跪迎郊外，恭還督篆。若有自作主張之處，那時當聽任恩師杖責。」

李鴻章畢竟是聰明人，這番對話，雖沒道中窾要，卻也的確消除了曾國藩心中的某些顧慮。他微笑著說：「少荃，你領會錯了，我不是怕你在署理期間改變我的章程。我有哪些不妥當的地方，你盡可修改。長江後浪推前浪。我忝為乃父同年，又曾和你一起探討過為文之道，你能超過我，我豈不高興！」曾國藩端起茶杯，輕輕地呷了一口，鄭重地說，「此事我已考慮很久了。我近來精力越來越不濟，舌端蹇澀，見客不能久談，公事常有廢擱。右目一到夜晚，如同瞎了一般。左目視物，亦如霧裏看花。兩江重地，朝廷期望甚大，不能由我這樣的老朽屍位，江督一職遲早要讓賢。我帶兵前敵，糧草軍餉都出自兩江，且兩江乃淮軍的家鄉，讓別人來接這個位子，你說我如何能放得心？我環視天下督撫，只有你才是最為合適的人選。」

李鴻章終於明白老師的意思了，他以堅決的口氣說：「恩師只管放心前去，切勿存後顧之憂。糧稍銀錢，門生自會源源不斷地提供，決不會使恩師再有當年客寄虛懸的局面出現。至於劉銘傳、潘鼎新、張樹珊、周盛波，門生已嚴厲訓誡過他們，要他們恭恭敬敬地服從恩師的調遣。若有不服之處，請恩師以軍紀國法處置，門生決不會有絲毫異議。老三、老四一向敬恩師如同父親一般，將代我監視淮軍。軍中情況，他們都會隨時向我稟報。淮軍就是湘軍，就是恩師的子弟，恩師盡可驅使。兩江重地，非恩師不可鎭壓。漫說恩師精力過人，就是眞的累了病了，憑恩師的威望，兩江亦可以坐而治之。前代有汲黯臥榻而治。汲黯算得什麼，他都可以做到這種地步，何況恩師？」

李鴻章眞會說話，說得曾國藩舒心起來，顧慮也去掉了，上午的不快，早已煙消雲散。

「少荃，明天上午交印儀式如期舉行，後天一早我登舟北上！」

第二天，隆重的交接督篆的儀式過後，曾國藩又與江寧藩司以及其他高級官員將公事作了最後交代。下午，又與幕府人員作了長談。一直忙到深夜，才昏昏沉沉地倒在床上睡著了。不知什麼時候，他發覺自己划著一隻木船在登山，弄得渾身大汗淋漓，船卻一步未動，急得雙腳亂蹬。

「夫子，你怎麼啦！」歐陽夫人嚇得忙挑燈照看，曾國藩這才醒過來，全身衣褲已濕透了。看看鐘，還只是寅初。換過衣服後，曾國藩再也不能入睡了。再過兩個時辰就要坐船出征了，乘舟登山之夢，豈不是預示著此次北上征捻將會極爲不順？曾國藩想到這裏，心情又沉重起來。

劉松山、易開俊、張詩日等人統率的八千湘軍陸師，潘鼎新、張樹珊、周盛波統率的三萬淮軍都已先後開赴前線，約定六月上旬在徐州會合，等待曾國藩來後再作軍事佈置。鮑超新建的霆軍，則還要過幾個月才能上戰場。曾國藩的老營由黃翼升親自統率三千長江水師護送，這三千水師今後就作爲親兵留在曾國藩身邊。對於湘軍，曾國藩最信得過的便是他親手創建的水師，而保留下來的水師現在又起大作用了。

一清早，李鴻章在督署舉行盛大的餞行宴會。李鴻章的性格與乃師大爲不同。他愛講排場，出手闊綽，喜歡熱熱鬧鬧、如火如荼。他永遠記得在安慶懷寧酒樓，恩師爲他東下上海所舉行的酒會，以及在那次酒會上所作的非同尋常的談話。今天，由他來作主人爲恩師北上餞行，李鴻章躊躇滿志，心裏充滿了自豪感。他要以加倍的隆重來報答恩師的大恩大德，也要以豪邁的姿態向衆人表示：從他今天正式坐定這把交椅後，這裏的一切都會更有聲有色。生性儉樸的曾國藩不習慣這種豪華的場面，何況他心底深處抑鬱不樂，他只動了幾筷子，喝了兩口酒後便離席了。

此時，下關碼頭已按李鴻章的佈置，擺開了異乎尋常的送行儀隊。這裏彩旗飄舞，鼓樂齊備，臨時紮起的牌坊一座接一座，手執刀槍、盔甲鮮明的衛隊一排挨一排。最爲起眼的是一字兒安放在江邊的百門西洋大炮，一律炮口指著江面。西起九洑洲，東至草鞋峽的江面上已不見一隻民船。裝飾一新的水師戰艦雄赳赳地等待出發，那隻特大號的「長江王船」的桅杆上，高高飄揚著碩大無朋的帥字旗，猩紅哈拉呢上那個黑繡「曾」字，兩里外都可以看得清楚。

曾國藩帶著黃翼升、趙烈文、薛福成等文武僚屬，在李鴻章、彭玉麟等人陪同下來到碼頭邊。紀澤、紀鴻兄弟也來爲父親送行，羅兆升、紀琛夫婦帶著不到半歲的幼子也來了。他們遵父命回湖南原籍。今天是大大吉日，又有許多人送行，羅兆升覺得這時和岳父一道離江寧最是風光。他們夫婦受全家人所托，代表家人送父親大人到揚州，然後再轉船西上。

在一片熱鬧的鼓樂聲中，曾國藩向送行者頻頻揮手致意，然後踏過跳板，上了王船。就在水手緩緩起錨的時候，只見江邊指揮樓一面紅旗對空揮舞了一下，頃刻間，百門西洋大炮齊鳴，江面上騰起無數朵沖天浪花。那響聲，直欲震破碧空；那波浪，如同要翻捲長江。北上的官兵們爲此壯觀場面激動得鼓起掌來，曾國藩也爲門生的精心傑作而感動，卻不料王船艙中那個幼小的生命，被這震天撼地的響聲嚇得大哭大鬧起來。三姑娘紀琛急得從奶媽手裏接過來，自己拍打著兒子，口裏喃喃地唸道：「好孩子，不要怕，娘在這裏！」

炮聲接連不斷，越來越響，嬰兒越哭越厲害。羅兆升氣得直跺腳，心裏罵道：「該死的大炮，還不早點停下來！」

曾國藩在一旁也急了。他很喜歡這個小外孫。每天回到後院，他都要逗逗親親，而過去，他的衆多的兒女，一個也沒有得到父親這樣的慈愛。直到最近半年來他才體會到：含飴弄孫，自有人生眞樂趣！眼看著小外孫哭得氣絕而止，又轉而手腳抽搐，他心裏害怕了：「紀琛，你趕快抱孩子上岸去！」立時便有兩個親兵過來招扶。紀琛一家連同奶媽匆匆出艙，上了跳板。曾國藩突然想起了什麼，對著跳板大喊：「讓孩子全好後再回湖南，聽見了嗎？」

炮聲終於停住了，王船緩緩地向下游駛去。曾國藩坐在船艙裏，腦子裏亂哄哄的。「小兒驚風，九死一生」，好不容易盼來一個可愛的小外孫，難道就這樣被禮炮聲送回去了嗎？北上督師的兩江總督，一如荷葉塘的普通田舍翁，爲小外孫的不幸焦慮萬分。他哪裏知道，此刻，他所鍾愛的，並對之寄與莫大期望的外孫子，已在母親的懷抱裏慢慢僵硬了。

三　國寶被陳國瑞搶去

曾國藩到達徐州後，各路將官早已在此恭候。他將出發前與彭玉麟、李鴻章等人仔細磋商，出發後在舟中又與黃翼升、趙烈文等人反復斟酌後所制定的剿捻計劃作了佈置。這個計劃，曾國藩稱之為「文武結合」。

武的方面，他改變了僧格林沁以動制動、節節尾追的被動局面，建立以靜為主、動靜配合的戰術。他重點防守五鎮：江蘇徐州，由他本人親自坐鎮；山東濟寧，由劉銘傳駐防；安徽臨淮，由劉松山駐防；河南周家口、歸德兩鎮，分別由張樹聲、周盛波駐防。另有四支游軍：潘鼎新、易開俊、張詩日統率的三支陸師，再加上李昭慶率領的一支馬隊，負責短距離追剿，救援急難之處。曾國藩又令山東巡撫閻敬銘、河南巡撫吳昌壽、安徽巡撫喬松年、江蘇巡撫李鴻章各以本省綠營防守兗州、沂州、曹州、陳州、盧州、鳳陽、潁州、泗州、淮安、海州等地。這些地區素來是捻軍活動頻繁的區域，在軍事上有很重要的地位。這個戰術，曾國藩以一句話概括，即變尾追之局為攔頭之師，以有定之兵制無定之寇。

文的方面，主要在查修圩寨。曾國藩責令各省巡撫在捻軍經常出沒之地修築圩寨，設立圩長。遇捻軍來時，須將所有人丁、牲畜、糧草都集中到圩寨中，由民團把守，實行堅壁清野，使捻軍得不到一點給養。又制定查圩法，對圩寨進行徹底清查。把與捻軍關係深的人列入莠民冊，按冊稽捕捉拿正法，其他的列入良民冊。五家具保結于圩長，有事則五家連坐。圩長具保結於州縣，有事則圩長連坐。以此來切斷捻軍與百姓的聯繫。曾國藩派薛福成代他巡視各處，監督州縣執行。薛福成臨走之時，曾國藩向他交待：「你生在書香之家，長期受詩禮薰陶，我怕的是你姑息縱容，執法不嚴，不怕你專擅自主。當年胡文忠公送給九帥一副對聯：以霹靂手段，顯菩薩心腸，把嚴慈之間的關係說得最是恰當。亂世當用重典，除暴才能安良，此治國不易之法。我授與你生殺予奪之大權，你盡管放心去用。」

薛福成受此器重，氣血大漲。他帶著一批像他一樣的年輕書生，在捻軍的家鄉蒙縣、亳縣一帶，雷厲風行地清查圩寨，大開殺戒，有的一個寨一次就殺十多人。薛福成這一手的確厲害。蒙、亳一帶百姓人人自危，再也不敢與捻軍有聯繫了。從此，捻軍不能回家鄉，變成東奔西闖的流亡大軍。

文的方面收獲甚大，武的方面卻不如人意。幾個月來，湘淮軍與捻軍交戰四五十次，基本上無勝仗可言，而濟寧城外劉銘傳與陳國瑞的械鬥，又更使曾國藩氣憤不已。

陳國瑞是僧格林沁手下第一員大將，十五歲在家鄉湖北應城投太平軍，後又投降清軍，被總兵黃開榜看中，收爲義子，先後隸屬於袁甲三、吳棠部，後歸僧格林沁。陳國瑞身長不及中人，然勇悍冠綠營旗兵，打仗時常著紅盔紅甲，被人稱之爲紅孩兒。苗沛霖叛亂時，他率部圍剿，連戰連勝。苗沛霖退寨固守，陳國瑞紮營於外。營外炮子如雨，營中陳國瑞飲酒如常。忽然，一發炮子將他手中酒杯擊碎，士卒勸他避一避。他抓起一把椅子，端坐營房外，高聲大叫：「我是陳國瑞，有種的向我開炮吧！」寨裏連放數十炮都不中，嚇得不敢再打。從此，陳國瑞的名聲更大了。

僧格林沁死後，他以處州鎮總兵身分護理欽差大臣關防，駐紮濟寧。僧格林沁雖敗，但他並不認爲自己不行，對於劉銘傳的進駐濟寧，懷著不滿情緒。而這個淮軍將領劉銘傳，也不是一個好惹的人。

劉銘傳生長在民風强悍的淮北平原，自小便養成一種天不怕、地不怕的豪霸之氣。十八歲那年，附近一個土豪到他家裏敲榨勒索，他父親一時拿不出錢來，跪在土豪面前求情。土豪踢了他父親一腳，又臭罵了一頓，限他三天交齊。臨出門時，又狠狠地抽了幾鞭子。他父親和兩個兄長倚門哭泣。劉銘傳回家得知情況後，氣得大聲訓斥兩個哥哥是孬種：「豈有父受辱而子不報仇之理！」說罷跨馬外出尋找那個土豪。

在一條大街上，劉銘傳遇到了仇人。他指著騎在馬上的仇人痛罵。劉銘傳個頭不高，那人欺負他是一個未成年的大孩子，對他的責罵毫不在意，從腰間抽出一把刀來，對他說：「你也不要罵了，敢用這把刀來殺我，就算有種。」說完，對著身後十多個爪牙哈哈大笑。劉銘傳聽了，二話不說，拍馬向前，冷不防從那土豪手裏搶過刀，順勢一刀，將他砍下馬來，然後從從容容下馬割了首級，再上馬，揚起仇人的頭顱，高喊：「我已爲父親報了大仇，也不要這條命了，有本事的，上來跟我比試比試！」

劉銘傳的氣概把土豪的爪牙們全都鎮住了，誰也不敢上前，嚇得四處奔逃。那時淮北已大亂，强者聚衆糾徒，據寨爲王，大家見劉銘傳年紀輕輕，便有這樣的膽量和本領，便都來投奔他。就這樣，他很快拉起了一支人馬。李鶴章、李昭慶在家鄉辦團練，與劉銘傳往來密切。李鴻章回籍招募淮軍，第一個便看中了他。

劉銘傳一貫以老子天下第一自居，根本不把敗軍之將陳國瑞放在眼裏，完全以一派接管大員的身分，神氣十足地將五千銘軍駐紮在城外長溝集，傳話叫陳國瑞來見他。驕暴成性的陳國瑞怎會吃他這一套，不僅拒不相見，且存心要給劉銘傳來個下馬威。

陳國瑞早已垂涎於銘軍的洋槍。這天半夜，他趁著劉銘傳不在營房的機會，親自指揮五百個弟兄突入長溝集，殺死二十多個淮勇，搶走了三百多條新式洋槍。陳國瑞還溜進劉銘傳的臥房，取走了掛在牆上那支價值二百五十兩銀子的法國造特製長槍。又見案桌上擺著一個特大的古色古香的銅盤，他從來沒有見過這種東西，很稀奇，也把它扛在肩上，興沖沖地帶走了。

第二天一早，長溝集的銘軍怒火沖天，劉銘傳不僅爲死人丟槍而憤恨，更爲丟失古盤而痛心。這個古盤不是尋常之物，它是一件眞正的國寶，劉銘傳在一個偶然的機會傳奇般地得到它。

那是同治三年四月，劉銘傳攻下蘇南重鎭常州，住進原太平軍護王府。這天後半夜，劉銘傳從西大街妓院遠香樓回來。嫖妓晚歸，畢竟不太體面，他不叫醒門房，繞著圍牆，選了個冷僻之處翻牆而進。跳下牆後，發現這裏是馬廄。幾匹高大駿馬正在吃夜草，一盞昏黃的馬燈懸掛在柱子上，馬伕不知到哪裏睡覺去了。他走過馬廄邊，突然聽見一個悅耳的金屬撞擊聲傳過來。他好奇地停住腳步，仔細一聽，又是一聲。這下他聽淸楚了，是從馬廄裏傳出的。他徑直向馬廄走去。他慣常騎的黑旋風見主人進來，吃得更歡快了，頭一搖，又發出一個悅耳的聲音。劉銘傳看淸楚了，這聲音正是黑旋風嘴上的鐵籠頭，撞擊槽子裏的金屬物品而發出的。槽子裏會有什麼東西呢?他伸手摸去，在草料中摸出一塊黑黑的鐵盤來。這鐵盤相當大：長約四尺，寬二尺多，高一尺多，成長方形狀。用手摸摸，盤底部還鑄著幾行字。他覺得有趣，便把它扛回房間。

次日，劉銘傳把鐵盤洗乾淨，盤底部露出幾行字。文字古奧，他認不出來。恰好潘鼎新來，劉銘傳請舉人出身的潘鼎新鑒別。潘鼎新將鐵盤左看看，右瞧瞧，又把盤底上的字細細琢磨了半天，突然拍著劉銘傳的肩膀叫道：「省三，這是一件了不起的寶貝！」

劉銘傳嚇了一跳，笑著說：「琴軒大哥，你不是逗我吧！」

「誰逗你？」潘鼎新正色道，「你這個楞頭青，你是捧著個金菩薩，還把它當作黃泥巴人哩！」

「眞的？」劉銘傳大樂起來，「琴軒大哥，這傢伙寶在哪裏？」

「這個盤子，你若是問別人，哪怕他是博學通人，也不一定知道。今天算是你走運，碰上我了。」潘鼎新得意地說，「道光三十年，我在國史館承修大臣傳，偶爾看到道光十七年的大事記上載有這樣一件事：三月陝西寶雞虢川司出土一件青銅古盤，盤底有銘文一百十一字，記敍虢季子白奉周王命征伐獫狁，大勝，在周廟受賞等事。此盤是迄今為止出土的最大的西周青銅器皿，正擬送入大內珍藏，卻突然被人所盜，下落不明。」

「丟了？」劉銘傳聽得發呆，不禁惋惜地叫了一聲。

「你這個傻瓜！」潘鼎新笑道，「不丟，哪有你小子的運氣！」

「嘿嘿！」劉銘傳又傻笑起來。

「自那以後，這個虢盤便杳無音訊了，不想被你得到，你好大的福氣呀！是長毛陳坤書收藏的？」

劉銘傳胡亂點點頭，再補充一句：「琴軒大哥，你憑什麼斷定它就是那個古盤呢？」

「你這個不開竅的傢伙！」潘鼎新將盤底翻過來，以手指敲打著那幾行劉銘傳不認識的鐘鼎文，說「這上面不是說得一淸二楚了嗎？」

劉銘傳算是全服了，暗暗地感謝蒼天賜寶。他當即捧出二百兩銀子來，笑嘻嘻地對潘鼎新說：「琴軒大哥，這點銀子權且作爲小弟的謝禮，你可千萬別將此事說出去了。」

劉銘傳對此盤愛不釋手，隨身攜帶。淮軍將官多不讀書，誰也不知道它的價値。劉銘傳當然不會說出，心裏盤算著：打完捻軍後，把它運回廬州老家珍藏起來，作爲傳家之寶留給子孫。誰知昨天半夜竟被該死的陳國瑞竊走了，他如何不憤怒！眞恨不得將陳國瑞抓來抽筋剝皮。

劉銘傳點起二千淮軍，以復仇的瘋狂向濟寧城衝去。陳國瑞遭前次慘敗，元氣尙未恢復，搶來的三百多桿洋槍又不會用，如何能敵得過淮軍如雨點般的槍子！不到一個時辰，濟寧城裏四五十名綠營兵倒在血泊中，淮軍的三百多桿洋槍失而復得，陳國瑞也被生擒，但虢季子白盤卻不知到哪裏去了。

劉銘傳氣得狠狠地抽了陳國瑞兩個耳光，逼他交出盤子來。陳國瑞並不識這個寶，拿回去看看後，就叫人丟到雜屋裏去了。一向驕橫不法的陳國瑞被這兩個耳光打得七竅生煙，知道劉銘傳看得重，他就偏不說。劉銘傳罵道：「你這賊性不改的老長毛，不交出盤子，老子活活餓死你！」

陳國瑞被鎖在屋子裏，整整一天過去了，粒米滴水未進。這傢伙素來食量甚大，照例一餐一壺燒酒，兩斤豬肉，一升白米飯。一天下來，餓得他頭昏眼花。第二天又是如此，他已餓得恨不得把木板啃碎吞下去了。到了第三天，陳國瑞實在不能忍受，便對看守的衛兵說，他願意交出那個盤子。劉銘傳聽後想：洋槍奪回了，被害的弟兄，綠營以加倍的人數賠償了，又打了陳國瑞兩耳光，餓了他兩天，仇已報了，淮軍沒有吃虧。當陳國瑞的親兵扛來虢盤時，劉銘傳便放了這個曾被僧格林沁倚爲左右手的處州鎮總兵。

陳國瑞從未受過這等奇恥大辱，回城後，心裏愈發不好過。可惜僧王已死，無人替他作主，據說督師的統帥曾國藩處事公正，陳國瑞帶了兩個親信，三匹快騎從濟寧趕到徐州，當面向曾國藩控告劉銘傳。

四　軟硬兼施制服了驕兵悍將

曾國藩身著玄色夾布長袍，頭戴無任何鑲嵌的黑色瓜皮軟布帽，端坐在太師椅上，冷靜威嚴地聽著陳國瑞的控訴，兩隻眼皮已經鬆弛的三角眼，一刻也未離開過陳國瑞那張凶惡而醜陋的四方臉。

陳國瑞唾沫四濺地談著事件的經過，把起因歸咎於劉銘傳的傲慢無禮和淮軍的耀武揚威，而他的部屬只是忍無可忍之下的自衛。陳國瑞從未讀過書，平日開口便是粗言髒語，今日在這位滿腹詩書的總督面前，竭力裝得斯文點，但依然時不時地蹦出兩句難聽的粗鄙話來。曾國藩一直不作聲，只是在這種時候，才將兩道掃帚眉擰成一根粗繩，而陳國瑞立時便覺得頭上被狠狠地敲了一棍，忙縮住嘴，稍停片刻，方能繼續說下去。

陳國瑞在僧格林沁帳下多年，那個蒙古親王是個異常可怕的奴隸主。他暴虐、狂躁、喜怒無常，嗜殺成性。他從沒有安靜地聽部屬匯報的時候，聽了三五句話後，便離開坐椅，四處走動。讚賞的時候，他大笑，用粗魯的話誇獎，用腰刀戳一大塊肉遞過來，用大碗盛酒逼著匯報的人一口喝下去。惱怒的時候，他大罵，拍案甩碗，凶神惡煞地衝到對方面前，擰臉上的肉，扯頭上的辮子，狂怒時甚至用馬鞭抽打。部屬們與他談話，常常心驚膽顫，無論說得好壞，他的反應都使人難以接受。陳國瑞卻不怕他，哪怕他用馬鞭死勁地抽打時也不怕。陳國瑞掌握了僧格林沁的特點，有辦法使他很快轉怒為喜。可是今天，陳國瑞第一次坐在這個手無縛雞之力的總督面前，心裏卻有點發毛了。這種冷峻的陰森的氣氛，把他的心壓得沉沉地，他不知道這個始終紋絲不動、一言不發的曾大人，心裏究竟在想些什麼。

發生在長溝集和濟寧城內劉、陳兩軍的兩次大械鬥，在陳國瑞來徐州之前，劉銘傳便已經搶先派人稟告曾國藩了。對這場內部械鬥的處置，曾國藩已有初步考慮。他在聽陳國瑞訴說的同時，便在將雙方的狀詞予以比較、對照、核實、鑒別，心裏已基本明朗了。

劉銘傳為人倨傲，自恃淮軍有洋槍洋炮裝備，目中無人。這些事實，曾國藩是淸楚的。但淮軍與他聯繫親密，又是這次剿捻的主力，且劉銘傳謀勇兼備，在淮軍將領中堪稱第一，何況又是陳國瑞先帶兵殺人搶槍，曾國藩不能過多指責劉銘傳。作為由太平軍投誠過來的僧格林沁的部下，曾國藩對陳國瑞早抱有成見，又親眼見他人物鄙陋，舉止粗野，遂從心裏厭惡，接見時的陰冷表情，便是有意給他以壓力。曾國藩極想痛斥陳國瑞一頓，甚至將陳杖責一百棍，趕出徐州，但他沒有這樣做。陳國瑞畢竟是個不可多得的戰將，他手下的人馬亦能征慣戰。現在正是要他出死力的時候，豈能讓他太下不了台！何況自己奉命節制直隸、山東、河南三省兵力，這三省的兵力不是綠營，就是旗兵，相對於湘軍淮軍來說，都不是自己的嫡系，心中已存戒備，倘若過分偏袒劉銘傳而指責陳國瑞，會讓他們產生兔死狐悲之感，不利於剿捻大局，若再由哪個心懷敵意的御史借此大作文章，那就更糟了。想來想去，曾國藩決定先對陳國瑞採取以安撫為主的策略，不過他知道，對這種人的安撫，必定要在敲打之後才能起作用。

「陳將軍！」待到陳國瑞說完後，曾國藩不冷不熱地叫了一聲，「貴軍跟銘軍械鬥之事，本部堂早已知道。劉銘傳那裏，我已嚴厲訓斥了，並命他立即撤出長溝集，到皖北去剿捻。」

陳國瑞正在暗自得意的時候，卻不料曾國藩的語氣變了：「不過，本部堂要對陳將軍說句直話，這次械鬥是你挑起的，你要負主要責任。」陳國瑞張口欲辯，曾國藩伸出右手來，威嚴地制止了。「本部堂早在駐節安慶時，就已聽到不少人說你劣跡甚多。這次督師北上，沿途處處留心查訪，大約毀你者十之七，譽你者十之三。」

「那些龜孫子都爛嘴爛舌地胡說些什麼？」陳國瑞氣了，一時忘了分寸，露出往日對待部下的態度來。

「陳將軍，與本部堂說話，你要放尊重些！」曾國藩輕蔑地盯了陳國瑞一眼，處州鎮總兵的氣焰立即矮了下去。

「你耐著性子聽我說完。」曾國藩左手梳理著長鬚，右手的中指和食指輕輕地敲了兩下桌面。「毀你者，則說你忘恩負義。當初黃開榜將軍於你有收養之恩。袁帥欲拿你正法時，黃將軍夫婦極力營救，才保下你一命。但你不以爲德，反以爲仇。」

陳國瑞背叛太平軍投靠清軍之初，被黃開榜所收養，改名黃國瑞。後來他脫離黃開榜，改換門庭，便恢復原姓，並根本否認曾作過義子一事。曾國藩一開口便抓住他這段舊事，弦外之音在指出他是個降人。這是陳國瑞發跡後竭力掩飾的瘡疤。他心裏很不好受，但又不能分辯，只得漲紅著臉聽著。

「毀你的人，還說你性好私鬥。」

「這是誣蔑！」陳國瑞終於找到了發作的突破口。

「誣蔑不誣蔑，你先不要大喊大叫，本部堂重的是事實。在壽州時，你與李世忠部下大打一場，殺死人家兩個記名提督，有這事嗎？」

陳國瑞不作聲。

「在正陽關，你捆綁李顯安，搶鹽五萬包。在汜水時，你與運米船隊口角爭吵，便調兩千人來，大打出手。若不是知縣叩頭苦求，那一天不知要死多少船商。這些事都有嗎？」

陳國瑞暗暗吃驚：這些陳芝麻爛穀子怎麼都給他撿到了？陳國瑞不敢否認，只能無力地自我辯解：「搶鹽是爲了發餉，調軍隊原就是爲著嚇嚇那些不法船商的。」

「蘇北州縣向我訴苦者甚多，告你騷擾百姓，凌虐州縣，苛派錢物，蠻不講理。在泗州時，你當衆毆辱知州、藩司，同知張光第嚇得躲到床底，第二天告病回籍。在高郵，你又勒索水腳，率部鬧至內署搶掠，合署眷屬，跳牆逃避，知州叩頭請罪方才罷休。」

「老子，」話剛一出口，陳國瑞見曾國藩三角眼中凶光畢露，立即改口，「卑職在前線打仗，弟兄們流血賣命，州縣出些軍裝號衣還不應該嗎？那些老滑頭，你不給他點厲害瞧瞧，他就裝聾賣傻不出！大人，你不要聽信他們的一面之詞。」陳國瑞見曾國藩放開正題不談，專揭他的短處，早已惱羞成怒，便顧不得禮儀叫嚷起來。

「陳將軍不得放肆！」曾國藩右手中指食指重重地敲了兩下桌面，威嚴地呵斥，「你打過幾天仗？有幾多戰功？敢在本部堂面前表功逞能？你不僅凌虐州縣，還藐視各路將帥，信口譏評，每每梗令，不聽調遣，稍不如意，則高呼『老子要造反』。看來，你雖投誠多年，當年的劣性還未根除。」

陳國瑞頭上的瘡疤又被重重地揭了一下，心中自認晦氣，原想到徐州來告狀咬一口，卻不料招來如此之辱，還不如打馬回濟寧去算了。他正欲尋一個空檔起身告辭，曾國藩又換了一個口氣：「陳將軍，毀你者不少，譽你者也有。你驍勇絕倫。清江、白蓮池、蒙城之役，皆能以少勝多，臨陣決戰，多中機宜。又說你至情過人，聞人說古來忠臣孝子，傾聽不倦。還說你不好色，也不甚貪財。陳將軍，本部堂聽到這些稱譽之辭後，為你高興。你的這些長處，正是名將之才。」

陳國瑞聽了這幾句話後，心中略覺舒服了一點：是非到底有公論。

「稱譽你的人，有漕督吳帥，有河南蘇藩司、寶應王編修、山陽丁封君。這些人都是不妄言的君子，你要記住他們對你的好處。詆毀你的人，也都是不妄言的君子，我就不說出他們的名字了，免得你記恨。陳將軍啦，」曾國藩起身離開太師椅，順手拖來一條方凳，靠著陳國瑞的身邊坐下，陳國瑞頓時覺得心頭一熱。

「陳將軍，本部堂知你有良將之質，十分愛你惜你。你今年只有三十多歲，論年齡，你是本部堂的子侄輩，論職位，你是本部堂的下屬。本部堂今日以父輩之身分、上憲之地位，跟你說幾句貼心話，望陳將軍能體會本部堂之良苦用心，不為習俗所壞，猛省過來，日後成為一名人人愛重的良將。」

陳國瑞不知說什麼好，一時緊張，頭上沁出汗珠來。

「來人！」曾國藩對著內室喊。喊聲剛落，便出現一個身著戎裝的戈什哈。「給陳將軍拿一條熱毛巾來。」

「本部堂只告誡將軍三件事。」待陳國瑞擦好汗後，曾國藩輕言細語地娓娓而談，「一不擾民，二不私鬥，三不梗令。凡設官所以養民，用兵所以衞民。官吏不愛民，是民蠹也；兵將不愛民，是民賊也。既欲愛民，則不得不兼愛州縣，若苛派州縣，則州縣只得轉嫁於百姓。本部堂統兵多年，深知愛民之道，必先顧惜州縣。就一家比之，皇上譬如父母，帶兵大員譬如管事之子，百姓譬如幼孩，州縣譬如乳抱幼孩之僕媼。若日日鞭撻僕媼，何以保幼孩？何以慰父母？昔楊素百戰百勝，官至宰相，朱溫百戰百勝，位至天子，然二人皆慘殺軍士，殘害百姓，千古罵之如豬如犬。關帝、岳王，爭城奪地之功不多，然二人皆忠主愛民，千古敬之如天如神。願陳將軍學關帝、岳王，念念不忘百姓，必有鬼神祐助。此不擾民之說也。」

陳國瑞平日最崇敬關羽、岳飛，見曾國藩以此二人勉勵他，頗爲感動，說：「卑職並不想擾民害民，只是恨州縣滑頭。經大人如此指明，卑職懂得了。」

「懂得就好。陳將軍你請喝茶。」曾國藩指著陳國瑞面前的茶杯說。因爲當時官場有主人端起茶杯，便意味著驅趕客人的陋習，曾國藩不得不說明兩句，「本部堂近年來患口乾舌澀之病，不能久談，多說兩句話就得喝水，請莫見怪。」說完，端起茶杯抿了一口。

陳國瑞也喝了一口茶：「請大人教導。」

「至於私相爭鬥，乃匹夫之小忿，豈有大將而爲之者？本部堂久聞陳將軍有好私鬥之名。前次之事，劉銘傳固然有錯，亦由將軍平日好鬥之名召之。其初，實由貴部理虧，其後銘軍又太甚。若陳將軍再圖私鬥以洩忿，則禍在一身而患在大局。若陳將軍以立大功成大名來雪此恥，則弱在一時而强在千秋。昔韓信受胯下之辱，以後功成身貴，不但不報當初辱己者之仇，反召而授之以官。此豪傑之舉動也。郭汾陽之祖墳被人發掘，不但不追究挖墳者，反而引咎自責。此名臣之度量。陳將軍受捆餓之辱，比起下胯掘墳來差遠了，望能坦然置之，今後以大功大勛來使銘軍自愧。」

這些話，陳國瑞雖不能接受，但亦不好抗爭，何況韓信、郭子儀也是他頂佩服的人，便只有不作聲。曾國藩今天說話太多，已感到很吃力了。他連飲兩口茶，略停一會，打起精神繼續說下去：「國家定制，以兵權付之封疆將帥，而提督概受其節制，相沿二百餘年了。封疆將帥雖未必皆賢，然文武皆敬而尊之，所以尊朝命也。陳將軍好譏評各路將帥，亦有傷大體。當此寇亂未平，全仗統兵大員心存敬畏。上則畏君，下則畏民，中則畏尊長，畏淸議，如此則世亂而紀綱不亂。陳將軍今後務須恪恭聽命。凡添募勇丁，支應糧餉，均須稟命而行，不可擅自專主，漸漸養成名將之氣度，挽回昔日之惡名。」

說著說著，曾國藩已覺胸中氣提不上來了，背上滿是虛汗。他只得又停下來，喝一口水，盡快結束這次長談：「以上三條，望陳將軍細心體會，牢記於心，必能有益於將軍本人，亦有益於剿捻大局。大丈夫襟懷坦白，光明磊落，不護短，不飾非，改了就好。本部堂向以培育人才爲己任，玉成將軍爲一名將，亦本部堂一大功勞。望保天生謀勇兼優之本質，改後來傲虐自是之惡習，本部堂對將軍寄與厚望，回去之後，將所部撤離濟寧，前往淸江浦，再聽本部堂將令。」

陳國瑞剛一出門，曾國藩便已疲乏得癱倒在太師椅上，渾身衣褲全都濕透了。

幾天後，劉銘傳奉命撤離長溝集。開拔的那天早上，他以五百長槍隊爲前導，有意繞道穿越而過。路過陳國瑞軍營時，邊走邊對天鳴射，嚇得城內雞飛狗跑，行人避之唯恐不及，氣得陳軍官兵一個個破口大罵：「這些狗養的！」「神氣個鬼！」

陳國瑞這些天來，想著曾國藩雖然態度嚴厲，但對自己還是有著愛護之心的。部屬中有人鼓動對銘軍回擊報仇，陳國瑞制止了。現在經銘軍這一撩撥，大家的怨氣又都發作了，陳國瑞也覺得有道理。銘軍出了氣，自己損失慘重，曾國藩骨子裏是偏袒淮軍的。他有意不執行曾國藩的軍令，賴在濟寧城內不走。一連兩道軍令，陳國瑞都置之不理，曾國藩火了。他想：這樣的敗軍之將都制服不了，其他綠營、旗兵能還指揮嗎？但若以械鬥之事從重處罰陳國瑞，別的綠旗將領會不服氣；若以不遵調令處罰，淸江浦並非戰事緊迫，陳國瑞會找出藉口賴帳，且即使處罰，亦不會太重，達不到抑制的目的。曾國藩思來想去，找不到一個合適的理由。

「大人，高樓寨一仗，陳國瑞與郭寶昌分統左右兩翼。僧王陣亡後，郭寶昌奉旨革職拿問，後翼翼長成寶等也降革有差，就連山東巡撫閻敬銘、藩司丁寶楨也都交部嚴議，唯獨陳國瑞不但未受處罰，還護理欽差大臣關防。陳國瑞敢於梗大人之令不行，也就是仗著這點。不如釜底抽薪，就從這裏參他一本，打下他的氣焰。」趙烈文見曾國藩左右爲難，給他出了一個主意。

「惠甫，你提醒得及時，就按剛才所說的，請你代擬一個密摺。」

半個月後，趙烈文代表曾國藩到濟寧城，對著陳國瑞宣讀上諭：「浙江處州鎮總兵陳國瑞，隨同親王僧格林沁帶兵剿捻，與郭寶昌分統兩翼。僧格林沁追賊陣亡，郭寶昌等救援不力，均經降旨分別懲處。朝廷因陳國瑞向來打仗尙屬奮勇，且彼時身受重傷，從寬暫免置議。茲據曾國藩查明，陳國瑞與郭寶昌均充翼長，不應同罪異罰。惟念其接仗受傷，尙可稍從末減。陳國瑞著撤去幫辦軍務，褫去黃馬褂，責令戴罪立功，以示薄懲而觀後效。」

陳國瑞跪在地上，氣得不能站起，他沒想到曾國藩竟然使出這樣一招來，弄得他有口難辯。他在心裏罵道：「好一個心腸歹毒的曾剃頭！」

「陳將軍，曾大人愛惜你是一個將才，只建議給你薄懲。他要我轉告你，立即率部前赴清江浦，倘若再梗令不行，新帳老帳一齊算，革去總兵之職，發配軍台效力。」趙烈文聲色俱厲地訓道。

這一招立見效用。要是沒有總兵職務，他陳國瑞還有什麼可以神氣的？發配軍台，連飯都吃不飽，哪裏有雞鴨酒肉？那兩天被劉銘傳鎖在屋子裏，眞把他餓怕了。這便是陳國瑞：在弱者面前如狠似虎，在强者面前如兔似鼠；打仗時能夠衝鋒陷陣，謀事時卻露出腹中茅草一堆。曾國藩這一套軟硬兼施，把他徹底制服了。他連連給趙烈文叩頭：「請趙師爺回去稟告曾大人，就說卑職立即遵命率部趕赴清江浦，今後切切實實按曾大人所提出的三條要求辦，戴罪立功。」

五　把捻戰勝負押在河防之策上

曾國藩調陳國瑞駐防清江浦，其目的在於建立運河防線，阻擊捻軍渡河。但捻軍這時並不急於過河向東，他們在豫魯蘇皖一帶廣闊的天地裏，與湘淮軍和這幾個省的防兵周旋。捻軍最擅長騎戰和平原曠野之戰，他們往來奔馳，飆狂如風，常常引得駐守在周家口、臨淮、歸德等地的張樹聲、周盛波、劉松山等部與他們接戰。交鋒不久，只見鑼號一響，戰旗一指，瞬時間便全軍跑了。潘鼎新等游軍跟在屁股後面窮追，追過一兩天後，往往踪影全無，弄得垂頭喪氣。李昭慶的馬隊因買不到口外好馬，始終建不起來。就這樣，曾國藩受命北上整整一年了，除消耗大量糧餉外，無一戰功可言。朝野開始有閑言了。先是金陵克復首次保舉後的六個保舉單均遭部駁斥，這在過去是沒有的事。繼則豫魯地方官吏、鄉紳牢騷不滿多起來，糧草供應敷衍馬虎。再是廷寄責備、御史參劾。曾國藩既感委屈，亦無良方扭轉局面，心中焦躁不已。

這時，朝廷任命正在荷葉塘養病的曾國荃爲湖北巡撫。上諭到達曾國藩手裏，給憤懣多時的他略添一分欣喜。半年前，曾國荃被授山西巡撫。那時捻戰進展不順利，曾國藩心情抑鬱，已萌退志。他幻想兄弟優游林泉、暢憶往事的日子早點來到，遂阻止老九出山。曾國荃自己也不想到貧瘠苦寒的山西去，於是藉口病體未癒推辭了。這次任鄂撫，正好從南面為捻戰助力，曾國藩求之不得，去信給老九傳達上諭，並要他立即募勇赴任。曾國荃也不再猶豫，召集舊部彭毓橘、伍維壽、熊登武、郭松林等人新募湘勇六千人，浩浩蕩蕩開赴武昌。當年官文拒不派兵救援李續賓、曾國華的舊恨，曾國荃一直記在心。他循例冷冷淡淡地見了一次官文後，便不再理睬。他擅自作主，全部淘汰湖北綠營，日夜訓練新湘軍，並將鄂省總糧台改為軍需總局，將鹽厘各項歸厘金局核收。官文心中不快，他知道這位九爺的脾氣，暫且隱忍不發。

將湘淮軍拖得精疲力竭的捻軍，分別由張宗禹和賴文光統率，先後進入河南，聚於許州、禹州一帶稍事休息。劉銘傳見有機可乘，急馳徐州，面見曾國藩。

「中堂，眼下捻匪撤離魯皖，麇集豫中，正是該匪自取滅亡之時。」劉銘傳雖是無賴出身，却長得白淨挺拔，頗有儒將風度。北上督軍前夕，曾國藩在江寧召見他，仔仔細細地將他端詳了一番，然後對他說：「省三，我看你五岳豐盈，三停勻稱，威嚴近於自然，肅殺藏於寧靜，今後事業，斷非淮軍其他將領可比。只是你文采尚不足。望軍務暇時，多瀏覽前朝典籍，以備日後之用。」劉銘傳知曾國藩最長於相術。遂牢記這番話，有空則讀詩書，鑽研兵法，這一年來大有長進。見捻軍西去，他有了一個新想法。

「省三，此話怎講？」曾國藩以欣賞的口氣鼓勵他說下去。

「捻軍長在騎馬，魯西豫東曠野平坦，正是施展其長之處，豫西山嶺重疊，豫南、鄂北則水田相連，都不利騎兵。我軍如果能將他們鎖住在這一帶，捻軍失其所長，則將爲我所擒了。」

「你這個想法很好！」曾國藩右手梳理著鬍鬚，左手輕輕地拍打著桌面。

「至於如何鎖住，中堂已開了頭在先。」劉銘傳以深思熟慮的神態繼續說，「派陳國瑞守清江浦，即在運河邊佈下了一根鐵鏈。現在，卑職想把這根鐵鏈向南挪動。」

「省三，你隨我到書房來。」曾國藩打斷劉銘傳的話，將他帶到大書房。

一脚邁進門，就看到正面牆壁上掛了一幅罕見的大地圖。當年在建昌軍營，李鴻章以安徽八府五州地圖作爲拜謁恩師的見面禮，極受曾國藩重視。後來，那幅地圖果然在曾國荃手裏，爲攻下安慶立了大功。進了江寧城後，曾國藩命江蘇、江西兩省各州府，仿照安徽地圖的形式，詳細測繪，對原圖作了很大的補充糾誤。駐節徐州後，他又叫豫、魯、直隸三省也照樣繪製，然後由擅長輿地的汪士鋒將這三省與蘇、皖兩省的地圖拼起來，畫了一張特大的地圖。劉銘傳見到這張圖驚羨不已，他迅速走到圖邊看起來。

「省三，你用它指著地圖說。」曾國藩隨手遞給劉銘傳一根三尺來長的細竹桿。劉銘傳立即他的千軍萬馬。

興致大增，挺直身子側立在地圖邊，右手拿著細竹條，在圖紙上面上上下下移動，儼然奔馳著

「卑職的意思是，以中堂鎖運河的辦法鎖住捻匪。西面以沙河、賈魯河為防線，北起河南中牟，南至安徽穎州府；南面以淮河為防線；北面以朱仙鎮至開封府和黃河南岸為防線。挖深河床，構築長牆和堡壘，沿這三條防線派重兵駐紮。然後出游軍追剿，將捻匪逼到豫西鄂北，在那裏一鼓聚殲。」劉銘傳手中的細竹桿指到豫鄂交界處。

曾國藩聽著聽著，臉上的笑意漸漸消去了。

「不過，防線太長，兵力不足，實行這個方略也大大不易。」劉銘傳已窺視到曾國藩臉上的變化，自己先點出其中的最大難處。

「省三，你暫且到驛館去住兩天，容我好好想想。」

劉銘傳走後，曾國藩坐在椅子上，對著地圖沈思起來。他將一年多來與捻軍作戰的大小方略認眞地反省了一遍：僧格林沁尾追不捨，疲憊交加，最後兵敗人死。自己北上以來，改為以靜制動的辦法，只是守住了一些重要城鎮，保護了京畿安全，但捻軍的有生力量並未遭到挫折。劉銘傳建議以線取代點，採用長圍之策來封鎖，將捻軍逼死在豫西鄂北一帶。用心很好，但

這樣長的防線，哪來這麼多的兵呢？曾國藩站起，走到地圖邊，用尺從中牟量到穎州府，又從亳州量到鳳陽府，光西南兩道防線就長達千餘里，且不少地帶河道淤塞，需要開挖。這個工程量又有多大！民工倒可招募，糧餉從哪裏出？千里防線，決不可能一律牢固，倘若有一處失守，便會全盤落空。成功了，有可能徹底平息捻亂；不成功，則會招致各方非議，有可能使英名毀於一旦。

日頭西墜了，月亮升起了，油燈熬乾了，天色放明了。從白天到傍晚，從深夜到黎明，曾國藩像一段枯木似地兀坐在大書房裏，反反覆覆地思考著河防之策。

第二天下午，他又召集徐州老營的文武僚屬磋商。有贊成的，有反對的，有拿不定主意的，意見紛紜，莫衷一是。吃晚飯時，趙烈文對曾國藩說：「聽說陳國瑞現在新安鎮巡查防守工事，離徐州只有百把里，我向大人告個假，連夜到那裏去一下，明下午趕回來。」

「你如此急著見陳國瑞有什麼事？」曾國藩放下手中的筷子問。

「明天我再告訴大人。」趙烈文詭笑著說。

「好哇，惠甫，你有什麼事還瞞著我！」曾國藩說，臉上帶著笑容。趙烈文知道這是同意了。

「我還能瞞得大人多久，明天下午回來一定詳細稟報。」

翌日黃昏，趙烈文人和馬汗水淋漓地趕回徐州軍營。稍事休息後，他走進了曾國藩的書房。

「惠甫，你這一天到宿遷幹了好大事？」曾國藩又正對著地圖發呆，見趙烈文進來，心中一喜。他已預料到趙烈文匆匆去來，一定與河防大事有關，但爲何要去見陳國瑞呢？難道這個魯莽武夫的腹中還藏有妙計嗎？

曾國藩親自給趙烈文倒了一杯用夏枯草熬的涼茶。他用的是荷葉塘農民的土辦法，連葉帶根全草一起熬，雖苦，但淸肝火、散鬱結。年年夏天，曾國藩都喝這種茶，每天晚飯後，他在散步時自己採回來。廚房裏特爲他備好的冰糖蓮子羹他不喝，他就喜歡這種從小喝慣的苦涼茶，說是又節省又有作用。有一次他還在晚餐桌上對著全體幕僚，大談夏枯草涼茶的好處，語重心長地告誡他們：樹立勤儉樸厚的風氣，要靠爲政者從自己做起，且要從小事做起，小事易爲難堅持，堅持下去就能起到大作用。從此，兩江總督衙門的廚房，夏天再不做冰糖蓮子羹，人人都喝夏枯草涼茶，遠方來客亦不例外。

「我到宿遷去見陳國瑞，是去跟他核實兩樁事。」趙烈文喝了一大口苦澀的涼茶後，向曾國藩詳細滙報，「我先前隱隱約約聽說，僧王咸豐三年在天津附近破長毛北征軍時，就是用長圍法取得成功的。又聽說僧王臨死時對身邊人說，悔不該，未將長圍法堅持下去。我爲這兩樁事特爲去詢問陳國瑞。」

「哦，有這樣的事？」曾國藩端著茶杯，出神地望著趙烈文。

兩江總督幕府的衆多幕僚，個個都不是流俗之輩。曾國藩以古人折節問教、禮賢下士的氣度對他們優容相待。在長時期的相處中，曾國藩看出趙烈文是這羣幕僚中的翹楚，在德、才、學、識、度等方面都要勝人一籌，故而十分器重，一有機會就保舉他，但又不讓他去上任就職，始終留在身邊，以備咨問。

「據陳國瑞說，這兩樁事的確都有。咸豐三年冬天，天津縣一個七十多歲的老童生闖進僧王營房，自荐奇計。僧王打仗，從來都是獨斷專行，不聽旁人的話，那天不知怎的，破例接待了老童生。老童生說：『今之計，宜用遠圍長困法。王所恃者馬隊，而長毛亦善走，擊東則走西，擊南則走北，難以獲勝。不如改用遠圍，在百里地外堅築土牆，四面包圍。牆築成功後，長毛則被圍在其中。爲什麼要這麼遠呢？因爲遠則不易察覺，近則易爲長毛所知。長毛有十多萬人，每月需糧五六萬石，沒有多久，圈中的糧食就會吃盡。我軍只須嚴兵分守，不必與之戰，不出數月，糧盡援絕，內亂自起，再乘機一鼓聚殲。』當時僧王部下不少人譏笑這個老童生的主意迂拙，說一輩子連個秀才也考不中的人，還能有什麼好主意！僧王卻偏偏在那老童生的肩上猛拍一巴掌，說：『就用你這個計策，先給你十兩銀子，成功後再到我這裏領重賞！』後來果然成功了。僧王足足賞了老童生三百兩銀子。這件事，陳國瑞雖未親眼見過，但僧王部屬們都這樣說，可能不是假的。至於僧王臨死時說的那句話，則為陳國瑞親耳所聞。」

「惠甫，證實了這兩樁事後，你是不是就贊成省三提出的防沙河、賈魯河的方略呢？」曾國藩審視著趙烈文。

「是的。」趙烈文堅定地說，「我原本就贊成劉軍門這個主意，這次從宿遷回來後，我更堅定了這個看法。跟踪追擊不成，重點防衛也不成，我們當思改弦更轍。當年孫傳庭就是用圍堵的辦法對付流寇的，僧王又有成功的戰例在先，大人不必再猶豫。九帥復出，新湘軍已練成，形勢更為有利。大人的湘淮軍以及豫軍皖軍負責守沙河、賈魯河、淮河、黃河防線，九帥的新湘軍從鄂北出兵進剿，合圍之勢一成，就是捻軍的滅亡之日。」

當趙烈文把最後一口夏枯草茶喝完時，曾國藩也最終打定了主意。兵力不足，啓用河南、安徽兩省的綠營，盡管他們不中用，也要嚴厲責成他們守住。

這是一個重大的戰略部署。曾國藩經過反覆周密的思考，又有前明將領孫傳庭和當今僧格林沁的勝例在先，他堅信這個方案是正確的。但它畢竟牽涉面太大，動用的力量太多，且在短期內不易見效果。爲昭鄭重，他將河南、安徽兩省巡撫及湘淮軍的帶兵大員召到徐州，面授機宜。

河南巡撫李鶴年、安徽巡撫喬松年和湘軍大將劉松山、張詩日以及最近奉調駐紮濟寧城的鮑超，還有淮軍大將劉銘傳、潘鼎新、張樹珊、周盛波，再加上陳國瑞，一齊端坐在剿捻欽差大臣的白虎節堂(一年前，它是徐州知府衙門大堂)，恭聽新的軍事部署。曾國藩將一年來的剿捻之戰作了回顧，歸納爲「進展緩慢，戰績不佳」八個字。他沒有把責任推給帶兵的統領，坦率地承認自己指揮欠方，有負重任。在此基礎上，將河防之策托出來，並將此計劃的可行之處作了具體闡述。他不再徵求大家的意見，拿起細竹條，指著牆壁上懸掛的地圖，以乾脆俐落的語言布置分段防守任務。

「劉軍門！」

劉銘傳應聲站起。

「河防之策始創於貴軍門，捻匪滅後，當記首功。現在本部堂命貴軍門率所部前往河南，防守中牟至尉氏一段賈魯河。只准成功，不許失敗。」

「遵令！」劉銘傳接受任務後坐下。

「潘軍門！」

潘鼎新立即肅立。

「貴軍門率鼎軍接著劉軍門之後，防守賈魯河尉氏至扶溝一段。此段淤沙較多，開挖工程量大。貴軍門務須督部疏浚淤塞，嚴加守衞，不得放走捻匪一騎一兵。」

潘鼎新痛快地接受軍令。

接著，曾國藩命劉松山率部守扶溝至周家口一段的賈魯河，張詩日部防守自周家口至槐店一段的沙河，槐店以下責成安徽皖軍防守，朱仙鎮至開封一段，則由河南豫軍防守。淮河水面由黃翼升水師負責。開封至考城一段由張樹珊、周盛波防衞。陳國瑞仍駐守清江浦運河。鮑超霆軍隨曾國藩左右以護老營。各路人馬調遣完畢，劉銘傳發言：「今日中堂調兵遣將，防守沙河、賈魯河，將捻匪困死在豫西一帶，用心深遠，但不是一天兩天可以奏效的，恐怕衆人不一定都能理解。卑職就聽說官中堂講這是守株待兔，最迂最笨的辦法。今後怕的是浮議四起，軍心動搖，日久鬆懈。」

劉銘傳的意思分明是叫曾國藩再堅定大家的信心。曾國藩笑著說：「防守沙河、賈魯河之策，從前無有以此議相告者，劉軍門創建之，本部堂主持之。凡發一謀舉一事，必有風波磨折，必有浮議搖撼。從前水師之事，創議於江忠烈公，安慶之圍，創議於胡文忠公。其後本部堂率水師，一敗於靖港，再敗於湖口，將弁皆不願留水師而要上岸，靠的是堅忍維持，才有後日之振。安慶未合圍之際，祁門危急，湖北糜爛，羣議皆謂撤安慶之圍援救武昌，也是靠堅忍力爭而後有濟。至於金陵百里之城，孤軍合圍，羣議皆恐蹈和、張覆轍，本部堂不以為然。厥後堅忍支撐，竟以地道成功。辦捻之法，既然尾追、守城都不得力，現在唯一可行的便是河防。諸位只要有本部堂剛才所說的堅忍之志，必可收得成效。」

安徽巡撫喬松年不贊成這個辦法。他認為防守是被動的，乃下策，上策是追擊殲滅，追擊的關鍵在訓練好馬隊。應嚴責李昭慶瀆職之罪，用重金到口外購得好馬，訓練出好騎兵，有五千强勁的騎兵，再配備目前的陸師兵力，一定可制捻軍於死地。他不明白曾國藩為何要出此勞而無功的下策，莫非年邁力衰，失去了往日强打硬拼的鬥志？他本欲從根本上否定這個蠢主意，但終究沒有開口。朝廷將剿捻之事責之於曾國藩，辦不成自然由他負責，與己何干？再說皖軍防守的這段，河寬水急，天塹一道，只要稍稍留心，捻軍便插翅難逃，何苦去頂撞老頭子？

何況他帶兵多年，老於謀算，此策說不定也有可能成功。喬松年以懇誠的態度說：「中堂所說的堅忍二字，確是我輩爲官打仗的要訣，不獨河防一事須如此。卑職當以此二字訓誡皖軍，定要將槐店到潁州府這段防線，把守得如同鐵桶一般。」

曾國藩滿意地點了點頭。

「中堂，防河拒捻誠爲良策，不過，豫軍所防的這段並非河流，全是沙土。沙土挖濠，隨挖隨塌，不能成形。眼下天氣熱，又不能以凍土築牆。從朱仙鎮到開封雖只七十里，但卑職實無把握守住。」說話的是滿頭白髮的衰朽老者、河南巡撫李鶴年。他從湖北巡撫任上接替原巡撫吳昌壽還不到半年。李鶴年心力衰竭，不想多任事，深知由於吳昌壽的軟弱無能，使得豫軍跋扈不能控制，因此顧慮很多。這幾天傷風，說不了幾句話就咳嗽起來。咳了幾聲後，他撫住胸口說，「中堂先前有令，捻匪在哪省，哪省應負剿滅之主任。目前，捻匪麇集河南，豫軍理應主動出擊，現在以大量人馬防守朱仙鎮至開封府，任賊匪在境內囂張，今後若言路責備卑職株守一隅，不顧全局，卑職亦難當此責。」

去年，御史劉毓楠參劾河南巡撫吳昌壽縱容豫軍騷擾百姓，吏治昏庸，朝廷命曾國藩查訪。曾國藩派員暗查，證明情況屬實，朝廷革了吳昌壽的職，將李鶴年從武昌調了過來。誰知李鶴年比吳昌壽好不了許多，且豫軍欺侮他年老不知兵，更不聽約束。曾國藩在心裏嘆息：偌大的中國，要找幾個眞正能勝任的督撫都不容易，人才缺乏到了何等嚴重的地步！他本想用較爲嚴厲的口氣敦促李鶴年，但轉念一想：這樣氣衰膽小的人，你再兇他，他不更虛怯了？再說，咸豐七年自己在荷葉塘守父喪，就出山之事與朝廷討價還價時，時任都察院給事中的李鶴年上奏，請朝廷即命奪情出山，仍赴江西及時圖報。在困難的時候，李鶴年給予了他重要的支持。

因爲有這層關係在內，曾國藩的話完全是另一種語氣：「李中丞，開封府附近的地理，本部堂都細細查勘過，誠如貴部院所說的，沙土覆蓋，挖濠築牆都有困難，但也得委屈弟兄們了。至於其他，中丞可不必多慮。今後無論何等風波，何等浮議，本部堂當一力承擔，不與建此議的劉軍門相干。即使有人指責豫軍應該出擊，不應株守，本部堂也一力承擔，不與貴部院相干。這是本部堂一貫的作風。」

見大家都不再作聲，曾國藩以其慣常的沈毅堅定的語氣，給全體執行河防重任的文武大員們鼓勵：「諸位不要以爲河防汛地太長，且其中又有極難守之處，便先存畏難情緒。其實，河防之策正是去年本部堂所制定的，以靜制動的剿捻根本大策的一種形式上的變化。以靜制動，從本質來說，是累於賊而逸於我，是打仗中取巧的一途。」

湘淮軍將領中有人在偷偷地笑了。

「諸位不要訕笑，本部堂最惡取巧，亦不是存心讓各位取巧，此爲據剿捻形勢而制定的大計，只有走這條路才是制勝之途。本部堂可以告訴各位，曾國荃統率的新湘軍，不久就會出鄂省進入河南，從西、南兩面逼使捻匪東竄。那時，各位只須張網捕獲就是了。張宗禹、賴文光、牛宏、任柱四大匪首，隨便捉到哪一個都可以與當年捉陳玉成、石達開、李秀成、洪天貴福的功勞相等！」

這句話對在座的文武大員們鼓舞很大，除苗沛霖後來又叛變被誅外，其他幾個抓住石、李、洪的人都封了五等爵位。席寶田原是湘軍中一個不起眼的小角色，就是因爲抓到了洪天貴福而封男爵，令天下帶兵的將領們垂涎。封爵的機遇再次普降，他們如何不磨拳擦掌，躍躍欲試！

六　叩謁嘉祥宗聖祖廟

河防戰略部署後，曾國藩將欽差大臣行營由徐州遷到濟寧。在赴濟寧途中，他查看了利國驛煤礦、運河、微山湖。在鄒縣，拜謁亞聖孟子廟，接見孟氏宗子孟廣鈞。在曲阜，拜謁至聖先師廟，會見衍聖公孔祥珂。

孔祥珂陪同曾國藩參觀了金絲堂所藏各種古樂器，又把他領進了金絲堂旁一座建築堅固的房子裏，這裏珍藏著孔府的重寶。那是乾隆皇帝當年親來曲阜祭孔時，賜給孔府的十件周朝青銅器：木鼎、亞尊、犧尊、伯彝、冊卣、蟠夔敦、寶簠、夔鳳豆、饕餮甗、四足鬲。這些東西，曾國藩過去當京官時，也只有在大祭儀式上才能遠遠地窺視，今天能在自己的手裏撫摸，作爲一個對古禮十分尊敬的前禮部侍郎，曾國藩心中甚爲歡欣。他愉快地應衍聖公所請，提筆贈聯：「學紹二南，羣倫宗主；道傳一貫，累世通家。」

爲報答欽差大臣的厚意，孔祥珂又將孔府寶藏的畫聖吳道子所畫的至聖像、趙子昂所畫的至聖像，還有一冊前明君臣畫像集，集中繪有太祖、成祖、世宗、憲宗、徐達、常遇春、湯和、劉基、宋濂、方孝儒、楊士奇、于謙、王守仁、李東陽等人像，另有大軸元世祖、明太祖像二幅，以及元、明兩朝衍聖公及孔氏達官所遺留之冠帶衣履，拿出來讓曾國藩看。這些東西全都保存得色彩如新。曾國藩大開了眼界。他還在曲阜城拜謁了復聖顏子廟。然後戀戀不捨地離開曲阜，住進了濟寧城。

曾國藩準備在濟寧州住兩三個月後，再到河南歸德府，估計那時河防工事也建得差不多了。以後再由歸德府到周家口，在那裏召開河防成功的祝捷大會，犒勞有功文武。

這天上午，曾國藩在行營裏忙著批閱文件。這幾天的文件很使他不快。朝廷寄來的明諭中有楊岳斌在陝甘平回無功，具疏自請治罪，另簡賢能的話。他爲楊岳斌的處境擔憂。劉松山來信，稟告捻軍近來在南陽大敗新湘軍郭松林部，豫軍有兩營也參與了這場戰爭，丟盔卸甲敗逃許州。偏偏總兵宋慶又來函，說豫軍近日在南陽獲勝，已向皇上請賞。曾國藩對照這兩封來函，心裏很不安，既爲九弟出師不利而焦慮，又爲宋慶冒功請賞而激憤。他本想在宋慶信上狠狠地批幾句退回去，又怕宋慶因此而生怨恨，誤了河防大事，落筆時語氣又變得和緩，批駁變成了詢問。

正在這時，親兵來報：「大人，門外有一貧苦讀書人模樣的，自稱是大人的本家，請求接見。」

他覺得奇怪，此地哪來的本家？難道是湘鄉有人長途跋涉來山東找？吩咐親兵：「你叫他在門房裏坐一坐，過會兒再來見我。」

親兵答應一聲出去了，曾國藩繼續批閱文件。批到一半時，他猛然想起：「是不是嘉祥縣裏來的人呢？若眞是的話，那就怠慢了。」他忙停住筆，起身向房門走去。

剛走出幾步，只見一個人從門房裏走出，急急忙忙迎面向他走來。在離他還有十多步遠的地方便跪了下來，口裏念道：「嘉祥縣宗聖宗子五經博士曾廣莆拜見中堂大人。」

果然是宗聖的後人，得罪，得罪！曾國藩心裏想著，迅速走前幾步，雙手扶起那人，說：「國藩早就想到嘉祥縣叩謁先祖宗聖廟，只因軍務太忙，一時不能抽身。今先生不責我不敬祖之罪，親來城裏相見，令國藩慚愧，請到書房敍話。」

曾廣莆抬起頭，曾國藩細看了一眼，只見此人五十多歲年紀，面容黃瘦，精神萎靡，全不像宗聖之後的樣子，頗令他失望。他拉起曾廣莆的手，一道走進書房。親兵獻茶，曾廣莆拘泥地接過，站著不動，不知坐在哪裏是好。曾國藩笑容可掬地指著對面一張雕花棗木靠背椅說：「請這裏坐。」待曾廣莆告謝，小心翼翼地坐下後，他又說：「廣莆先生，你到我這裏來，就是在自己的家裏，我們以家人相稱，千萬不要拘謹才是。」

一聽這話，曾廣莆的心裏輕鬆了許多，恭敬地問：「大人尊諱不用派號，在下不知如何稱呼才是。」

「國藩爲傳字輩，派名爲傳豫。」曾國藩微笑著說。

「叔祖在上，孫兒不知，罪該萬死！」曾廣莆說著，慌忙離開坐席，端端正正地站在曾國藩面前，整肅衣帽，然後行一跪三叩禮。

曾國藩端坐不動，任他跪拜。待曾廣莆拜畢，曾國藩依舊笑著說：「論輩分，我是你的祖父輩，你要講究家法，行跪拜大禮，我也受了。論年紀，你我差不多，用不着太客氣，請問你的表字？」

「叔祖雖然這般說，孫兒豈敢壞了家規。」曾廣莆誠惶誠恐地說，「回叔祖的話，孫兒賤字伯仕。」

「伯仕，你是廣字輩，從宗聖傳到你這一代，應是七十二代了。」

「是的，是的。」曾廣莆連連點頭。

「在嘉祥，現在見到哪一代了？」

「孫子昨天從嘉祥啟程，駝八爺紀霖說，他的孫媳婦生了個兒子，要我求大人給他取個名。紀、廣、昭、憲，」曾廣莆扳著指頭數，「現在到了憲字輩。駝八爺好福氣，剛好碰上叔祖駐節濟寧州，請叔祖開恩，賜個名字給他吧！」

「好哇！」曾國藩高興地說，「我們奉命北上剿捻，圖的是天下得安寧，這孩子的名字就叫憲寧吧！」

「孫子代駝八爺謝謝叔祖。過幾年，孫子還要親自訓誡憲寧，告訴他，這名字是他的老祖宗宮保大人給他取的，要他好生念書，日後光宗耀祖，莫負宮保大人的期望。」

「你說得好。」曾國藩心裏很高興，「鄒縣孟氏宗子也是廣字派，曲阜孔氏的衍聖公已到祥字派了，不知顏氏宗子到了哪個字派？」

「顏氏宗子是紀字派，宗子叫顏紀清。」曾廣莆答。

曾國藩笑著說：「還是孔老夫子的後人發達得快呀！」

「是的。」曾廣莆說，「孫子有一事不明白，今天特爲來濟寧州面問大人，求大人賜教。」

「什麼事，你說吧！」

「我曾氏族譜已有三代沒有修了。大家都說，如今我們曾家出了一位頂天立地的偉人，不僅是宗聖之後無第二人可比，就是由宗聖上溯到軒轅黃帝那六十六代中，也只有黃帝、顓頊、大禹等幾位先祖可以比得。這樣一位使我曾家列祖列宗大增光輝的功臣未上族譜，怎麼行？嘉祥曾氏家族幾個頭面人物會議，要重修一次族譜。衆人說，過去的族譜只載明宗聖之後第十五代曾據生於西漢末造，封關內侯，王莽篡位時因恥事新莽，於庚午年十一月十一日挈家遷廬陵之吉陽鄉，曾氏一族自此南遷。叔祖這一支一定是這次南遷的，但南遷後的派系就不清楚了。孫子這次來，就想問問這個事。」

「哦，你問的這個事，我可以答覆你。」曾廣莆剛才的頌揚使曾國藩滿腹興奮，嘉祥的族人竟然把他與黃帝、顓頊、大禹、曾參來相比，作爲曾氏後人，還能有什麼比得上這種榮耀！「道光十九年，我從京師回家，湘鄉曾氏正在重修家譜，族裏公推我爲主持人，因此我對湘鄉曾氏的來龍去脈比較清楚。南遷的曾氏始祖爲曾據。據公有二子，二房名闡。闡公傳二十七世到孟魯公。孟魯公這一支在北宋慶曆年間，由江西吉安始遷湖南茶陵。再傳四代到南宋紹興年間，由茶陵遷到衡陽唐福。再傳十八代到了孟學公手裏，先由衡陽遷衡山白果，繼遷湘鄉荷葉塘。孟學公之後第四代元吉公，定居於荷葉塘大界。荷葉塘曾氏奉元吉公爲始祖，建有專祠。元吉公之後爲輔臣公，輔臣公之後爲竟希公，竟希公之後爲星岡公，星岡公之後爲竹亭公，竹亭公生我兄弟五人。」

「經叔祖這一細說，曾氏南遷以後這一千八百多年代代相傳的歷史，我們就大致清楚了。下半年，孫子派人到叔祖家鄉荷葉塘去，把這份族譜抄下來。」

「伯仕，我也正要問問你嘉祥宗聖廟的情況。」曾國藩望著顯得寒傖的宗聖宗子，和藹地說，「我這次由徐州來濟寧，沿途叩謁了至聖、亞聖和復聖三廟，了卻了生平一大心願。至聖廟氣宇輝煌，令人直欲不敢仰視。亞聖廟雖不及至聖廟之氣概，但廟宇整肅、古柏森森，亞聖及其父母之墓都保護完好，孟氏後人在墓旁築室讀書。書聲朗朗，傳詩禮家風，也令人敬仰。復聖廟規模比亞聖廟又略小一點，淸靜安謐。陋巷井旁唐人植的大檜，仍枝葉蒼翠，兩廡所配享的顏歆、顏子推、顏眞卿兄弟的塑像也都完好。兵火年代，三聖廟都能保持到這個樣子，已足令天下讀書人欣慰了。昨天閻撫台、丁藩台來，我還著實讚揚了他們一番。我心裏一直在牽掛著嘉祥的宗聖廟，不知它現在保存得怎麼樣了，總想抽空叩謁，只是軍務太忙，抽不出身來。伯仕，你先對我講講吧！」

曾廣莆來濟寧城拜見曾國藩，明裏說是問曾氏一族南遷後的派系，其實質就是爲著先祖宗聖廟而來的，但聽了曾國藩剛才的話，他又有點緊張起來：宗聖廟那個樣子，說出來會不會引起這位大人物的惱怒呢？片刻之間，曾廣莆腦中浮起了嘉祥曾氏族人的一再叮囑：「你一定要把這個財神菩薩接到嘉祥縣來住兩天！」「若能求得他施捨幾萬兩銀子，把宗聖廟修理得堂堂皇皇，超過亞聖廟復聖廟，你就是我們曾氏家族的大功臣！」

曾廣莆定定神，說：「回稟叔祖，嘉祥的宗聖廟也保護完好。孫子這次來，就是受嘉祥所有宗聖後人的委託，恭請叔祖大人回老家住兩天，聊表曾氏族人對叔祖的敬意，同時也請叔祖看看宗聖廟。」

「嘉祥曾氏族人的厚意，國藩深爲感謝。」曾國藩想了想說，「不過現在實在太忙，過一段時期軍務稍閑時再去如何？」

曾廣莆急了，忙說：「叔祖肩負剿捻重任，被皇上倚爲長城。要說空閒，孫子想一年四季都可能沒有，不如乾脆把公務暫擱一下，到宗聖廟去燒燒香，求宗聖在天之靈保祐叔祖早平捻亂，國家早得安寧，孫子以爲其作用會比辦兩天公務大得多。」

這番話說到曾國藩的心坎裏去了。早在安慶時，曾國荃圍攻金陵，曾國藩一顆心天天掛念著金陵戰事。每天傍晚時，他便獨自一人跪在衙門三樓的小房間裏，默默地對天祈禱，呼喊著他最崇拜的英雄——祖父星岡公，向祖父的在天之靈訴說著心中的憂愁。說來也眞有靈，每經過一番祈禱訴說之後，再走下樓來，曾國藩的心裏舒坦得多了。他彷佛在冥冥之中得到了祖父的指示，信心增强了，主意增多了。曾國荃圍金陵整整兩年，在那些提心吊膽的日子裏，曾國藩就靠這種辦法維持了心靈上的平衡。曾國藩由此相信，只要心誠，就可以與祖先相溝通，就可以得到他們的庇護。他想，爲什麼幾千年來人們都要虔誠地祭奠祖宗，其原因大概就在於此吧。

「好吧，你明天在濟寧州玩一天，我把手上的事處理好，後天一早，你帶我去叩謁宗聖廟。」

濟寧州到嘉祥縣只有四十八里。午正時分，曾廣莆以及隨行護衛隊員簇擁著一頂簡單布轎停在嘉祥書院。曾國藩青衣布履走出轎門，進了書院。嘉祥書院為著接待曾國藩，特為放了幾天假，書院裏冷冷清清的，只有一個老者佇立在門口。曾廣莆介紹：「這是在書院裏教書的曾老先生，也是宗聖的後人。他是興字輩的。」

「老先生是我的叔輩了。」曾國藩和氣地說。

「豈敢！豈敢！」曾老先生慌得忙打恭作揖。

曾國藩看這老先生約有六七十歲年紀，頭頂已基本禿光，幾根細長的白頭髮鬆鬆垮垮地扭在一起，用一根舊黑布條紮住，身上一件藍不藍、白不白的長衫，大大小小有七八個補釘，腳上的布鞋破舊，鞋梁用草繩代替，左脚還露出一隻黑瘦的光腳趾。他在心裏嘆了一口氣，抬頭打量著四周。這裏號稱嘉祥書院，是縣城裏唯一一個讀書之處，其實只有一間正屋，供學生們上課用。另有一間低矮的偏房，是曾老先生的臥房兼廚房。牆脚邊開出一塊兩丈長、一丈寬的菜土，種了些青菜瓜豆之類。

曾國藩剛剛坐定，嘉祥縣令程繩武帶著縣衙門的官吏和曾氏家族有點頭臉的人物都來了。程縣令一再道歉未能遠迎。曾國藩說他是回嘉祥謁祖廟，並非辦公事，事先未通知，不怪他。少頃，從縣衙門抬來了兩桌酒菜。程縣令和曾廣莆一左一右地陪著，殷勤相勸。吃完飯，稍爲休息片刻，衆人簇擁著曾國藩前往宗聖廟。

一到嘉祥縣，見到嘉祥書院和書院裏的教書先生之後，曾國藩就開始對宗聖廟擔心起來。走了一會，曾廣莆指著前面一座小屋說：「這就是宗聖廟。」

曾國藩先是一怔，不敢相信，繼而是一股悽涼悲哀的情緒湧出。這是一棟魯西南常見的莊稼人的住宅。正面一扇矮檐木門，四周圍著一道一人高的土牆，牆頂糊著用來擋雨水的高粱秆，牆上大大小小的窟窿隨處可見。推開大門，現出一間年久失修的舊瓦房。瓦隙裏長著高高低低的茅草，鳥雀在草叢中飛來飛去。左右兩個窗戶，窗櫺殘缺不全。大門兩邊的楹柱似乎漆過油漆，但已剝落得差不多了，露出黑黑的乾裂的柱身。倘若不是門頂上掛著一塊「宗聖廟」的豎匾，怎麼也不可能令人想起這便是建於曾參老家的聖廟。不要說遠遠不如孔廟，就是比起孟廟、顏廟來也相差得太遠了。但這畢竟是祭祠先祖的廟宇，曾國藩仍整肅衣冠，對著正面那座色彩斑剝、通體不成比例的泥塑曾參像，恭恭敬敬地行了三跪九叩大禮。曾廣莆帶著族人跟在後面跪滿一大片。

心緒蒼涼的曾國藩本想對著宗聖說：「曾氏後裔式微，致使祖先蒙塵，與孔、孟、顏族相比，羞愧難容，擬捐銀二萬兩，重建聖廟、書院，振興曾氏家族。」轉念一想，二萬兩銀子從何處拿出？自己的養廉費大部分都分寄給了那些陣亡將領的遺孤，剩餘部分也周濟給各地書院供那些窮民小戶的士子膏火之資。大半生的積蓄也最多不過二萬餘兩銀子，還有許多必不可少的開銷，不能都用在這裏。軍餉雖多，但那是絕對不能用來修曾氏一族祖先廟宇的。再說，宗聖誕生之地貧困到如此地步，宗聖後人衰蔽到這等模樣，也是天數，非人力所能遽振。曾國藩在曾參塑像前沉思多時，最後祝道：「宗聖在天之靈安妥，七十代不肖孫國藩虔誠禱告，願我聖祖保祐剿捻軍事順利，捻亂早日平息，百姓早得安樂，國家早得昇平，待海晏河清、國泰民安之時，不肖孫再來叩謁我聖祖，率合族人重修廟宇，擴建書院，讓聖祖道德文章世代相傳，永不中斷。」

禱完起立，曾廣莆打開後門。後面還有一間屋，名曰啓聖廟。傳說當年曾參在這裏「吾日三省吾身」，並爲之取名曰養志樓。曾國藩見啓聖廟更不如宗聖廟，半邊牆已倒塌，未倒的部分也朽敝不庇風雨。他在院中站了站便出來了。曾廣莆說：「孫子家就在廟邊不遠，已備下涼茶，請叔祖賞臉，到孫子屋裏坐坐。」

曾國藩也想見見宗子家的情況，便點頭同意了。

出宗聖廟向左拐，走過百步來，便到了五經博士的家。住宅占地面積倒不小，但只有兩間舊屋，從地面上保存的痕跡可以看出當年鼎盛時期的概貌：高大的頭門、二門，寬廣的堂屋、廻廊，以及約有百把丈長的圍牆。可是現在一概頹毀無存。曾廣莆在空坪上擺了兩張桌子，上面放了些茶水、果點。曾國藩略坐一坐，站在門口看了一眼宗子的內室。

內室窄小陰暗，擺設簡陋不堪，就連雍正皇帝親賜的「省身念祖」匾也無懸掛之處，只庋置於一張舊桌上。曾國藩在心裏嘆息不已：宗子家尚且如此，宗聖後裔的狀況可想而知了。他不想再在嘉祥縣待下去，擬明早就回濟寧州，經不住曾廣莆和另外幾個曾氏長者的苦勸，第二天只好又到了嘉祥城外四十里的南武山曾參的墓地。

此處也有一個宗聖廟，比起縣城裏那個廟來要強得多了。廟在南武山下，周圍一帶全是頑石，不生草木，因而廟內外二百多株嘉慶年間所植的柏樹，顯得特別珍貴，襯托出一派森森古柏繞聖廟的肅穆氣氛，令曾國藩稍覺欣慰。廟宇保管得還算是完好，曾參的塑像無損壞，兩廡還有弟子陽膚、樂正、子春等人的塑像，中有宗聖門，前有石坊三座，還有兩座碑亭。一座是明萬曆年間太僕少卿劉不息的《重修宗聖廟記》，一座是乾隆皇帝親撰的《宗聖贊》。從廟裏走出來，曾國藩又去看了看曾參的墓。

墓道兩旁豎立著幾個石馬、翁仲，但享堂已片瓦無存，長著亂草的圓坟前有一塊石碑，碑上刻著「郕國公宗聖曾子之墓」九個字。曾國藩對著墓碑又一次恭行三跪九叩大禮。曾廣莆帶著一批人在墓旁擺上供果，焚化錢紙。禮畢，曾國藩圍著墓走了一圈。

曾廣莆對他說：「因爲年代久遠，宗聖公墓早已佚亡，不知葬在何處。前明成化初，南武山有個打漁的老頭子，一次走路不小心，掉進一個千年古洞，意外地在古洞中發現一具懸棺。懸棺邊的石壁上刻著「曾參之墓」四個字。漁翁爬出洞後，當即把這一發現告訴了曾氏後人，並由山東守臣上奏朝廷。曾氏後人把懸棺取出來，就在古洞邊爲宗聖公建了一座坟墓，同時把古洞塡塞了。弘治十八年，山東巡撫金洪奏請建享堂、石坊，一直到道光年間，都還保存得很好。這些年來逐漸敗壞，也無人再修了。」

說罷，連連嘆氣。

曾國藩問：「南武山一帶住著多少宗聖後人？」

「三百來戶。」曾廣莆答。

「都做些什麼事？」

「過去都種莊稼，從道光末開始，不種莊稼，改種鴉片了。」

「種鴉片？」曾國藩搖了搖頭，「獲利大嗎？」

「雖然有些收益，但縣裏官吏勒索太多，比種莊稼强不了多少。」曾廣莆說，「不過要清閒點。」

曾國藩不再問話了。他登上一個小山坡，縱目望去，只見周圍山石頑獷，地勢散漫，全無一點山水環抱、氣勢團聚之象，對墓裏葬的是不是眞正的宗聖遺骸甚表懷疑，但他沒有說出來。

回到嘉祥書院，曾國藩只是和縣令程繩武談嘉祥的經濟民生以及前兩年捻軍在這裏的活動情況，再不問及宗聖的事。曾廣莆急了，他和族人們商議著。好不容易挨到縣令告辭，曾廣莆忙進來，對曾國藩說：「叔祖這兩天回籍朝祖，曾氏闔族倍感榮幸，大家在一起計議，都說這次重修族譜，非請叔祖出面不可。」

曾國藩道：「我雖是宗聖後人，但我家這一支遷到南面已近二千年了，再由我出面修嘉祥境內曾氏族譜不太合適，且我軍務在身，也無暇辦這個事。」

一開頭就碰了個釘子，曾廣莆大為失望，他仍不甘心：「叔祖一族雖說早已南遷，但畢竟我們是宗聖一脈所傳，骨肉之親是改不了的。倘若叔祖過忙，何不叫兩位叔父中的一位來擔任呢！」

曾國藩笑道：「他們年紀輕輕，懂得什麼！」

曾廣莆本是個木訥而無主見的人，被曾國藩這兩下一堵，就不知如何說下去了，嘴裏囁嚅半天，也沒有說出個所以然來。曾國藩又是氣惱，又是憐憫，說：「伯仕，嘉祥縣曾氏重修族譜，我們湘鄉曾氏就不參與了，還是由你為頭，把族譜修好。日後國家承平，我也還沒死的話，我倒有個心願，弄清楚宗聖公的後裔，目前除嘉祥、吉安、湘鄉外，還族居在哪些地方，再邀請他們一起來合修一個曾氏全族譜。如果那時族人看得起我，推我出來主辦此事，我也樂意。你看呢？」

曾廣莆心裏怏怏地，口裏只得說：「那當然是我們曾家的大慶。」

曾國藩說：「這兩天看了嘉祥和南武山兩處宗聖廟和墓地，為宗聖後裔的衰微深感痛心。這固然是國家不安定、嘉祥貧瘠所致，更因曾氏族人淡忘了宗聖公的教誨，也忘了雍正爺『省身念祖』的聖諭。宗廟不修，祖宗不祀，還有什麼曾氏家族可言？更不必去指望它興旺發達、人才輩出了。根本之事不辦好，汲汲惶惶去修族譜，族譜修得再完備，又有什麼用呢？」

曾廣莆聽到這裏，才恍然大悟，這才是曾國藩不主持修族譜的原因，後悔不該請他來嘉祥。先以爲他看到宗廟凋敝，會動心而捐巨資，誰知分文未給，還招來一頓教訓。事已至此，曾廣莆只得說：「叔祖教訓的是，孫子作爲宗子，未把全族人團結好，愧爲宗聖後人。」

「當然，這不能怪你一人。」曾國藩嘆了一口氣，說，「嘉祥曾姓闔族人都有責任。曲阜的孔廟誠然不可去高攀，但鄒縣孟廟那樣的規模，是可以做得到的。鄒縣並不比嘉祥富裕，但孟氏後人對先祖恭敬之心，遠遠超過了我們曾家。我們難道不覺得慚愧嗎？」

曾廣莆的臉通紅通紅的，低下頭，無言可答。隔了很久，曾國藩才說：「我雖通籍二十多年了，官居一品，帶兵這些年裏，幾百萬兩銀子在手頭過是常事。說來你可能不信，我所積的銀子也不過就只二萬來兩，有心資助你們重建宗聖廟和書院，也無力做到。我只能捐祭產銀千兩，你們用它去買點田地，養活幾個管理廟宇的人，一年四季給宗聖公上幾道祭菜。再有點剩餘，則資助給嘉祥書院，培養幾個舉人、進士出來，光大嘉祥曾氏門第。伯仕，你作爲嘉祥曾氏宗子，所居也太簡陋了，雍正爺的賜匾都不能懸掛，未免使人太酸楚。我再送你四十兩銀子，你把房子修繕一下，再添一套新衣服，平時也好體面地會見外來的客人。」

原先以為一點希望都沒有了，現在又得到一千零四十兩銀子，五經博士在大失望之後得了一點小滿足。

這一夜，曾國藩在嘉祥書院裏想了很多很多：嘉祥縣曾氏後裔如此衰微，宗聖公在天之靈何能心安？湘鄉曾氏現在雖說有天下臣民第一家之稱，但世人哪裏知道，這「第一家」其實是空的。且不說個中的辛酸苦辣，就說目前的剿捻戰局，前途未卜，倘若河防之策再不能取勝，這第一家便要立即中落了。殺人攻城得來的榮耀畢竟是短暫的，這中間有著許多偶然性，家族傳之長久的興旺，靠的是禮義詩書！

曾國藩這樣想著想著，便更加掛念武昌城裏的九弟。河防的成敗，很大程度取決於新湘軍在鄂北豫西對捻軍的作戰。然而，曾國藩此時做夢都未想到，正是這個曾經給他帶來巨大榮耀的九弟，眼下與湖廣總督官文徹底鬧翻了，終於導致河防之捷成為畫餅一張。

七　武昌城裏，巡撫和總督大開內戰

三個月前復出的湖北巡撫曾國荃，與他的大哥截然不同。皇家刻薄寡恩的本性，功臣鮮有善終的歷史教訓，以及四哥反復講述的白雲觀醜道人的懇切規勸，都不能使他大徹大悟。他依然是目空一切，我行我素，不把稱雄皖豫多年的捻軍放在眼裏，也沒有把朝廷的寵臣官文放在眼裏。新湘軍的失敗使他憤懣，不久又傳出彭毓橋被肢解、懸首示衆的消息，更使他暴戾失常了。

彭毓橋是他的表弟，年紀相仿彿，性格也相投，攻打金陵時出力最多。當蕭孚泗、朱洪章、劉連捷等人都不願再赴戰場的時候，彭毓橋慨然應邀爲他組建新湘軍。現在遭此下場，曾國荃怎能不傷心，不暴怒？就連奉父母之命暫回湘鄉料理家務，路過武昌住在撫署的曾紀澤，也爲表叔的慘死而傷心。

這天深夜，糧道丁守存悄悄進了撫台衙門，秘密會見了曾國荃。

「九帥，杏南將軍之死，是由於斷糧的緣故。」丁守存向曾國荃透露了一個重要情報。

「糧台爲什麼不供應軍糧？」曾國荃頓時怒火沖天，對著糧道吼道。

「九帥息怒。」長著一副黃瘦馬臉的丁守存輕輕地說，「糧台本來貯存一百萬斤糧食，只因官中堂原招募的五千鄂勇被九帥撤了，欠餉一時無銀兌現，官中堂命卑職將糧台所有糧米調出來，按每勇二百斤發放了。杏南將軍出兵前，糧台想盡辦法爲他籌集四萬斤糧，先想隨後就再運去，誰知糧路給捻匪斷了，假若彭將軍再多帶二萬斤，都不致於軍心渙散而招此敗。」

「你說的這事有根據嗎？」曾國荃兩眼惡狠狠地盯著丁守存。

「卑職這裏有官中堂的親筆批示。」丁守存從靴頁裏抽出一張紙來，雙手遞給曾國荃。丁守存並不是曾國荃提拔的人，他為何對曾國荃如此忠心呢？

原來，他不是為了討好曾國荃，而是要報復官文。兩年前，丁守存利用職權貪汚了一萬兩銀子，被人告發，官文將他臭罵了一頓，聲言立即參劾。丁守存嚇得磕了幾百個頭，求朋告友，湊集了一萬銀子贖罪。官文仍不鬆口。無奈，丁守存變賣了部分家產，給官文送了一萬銀子的禮，官文才許他一個暫不參劾、戴罪效力的機會。因此，丁守存恨死了官文。正因新湘軍初戰失利惱羞成怒，又找不到藉口推諉責任的曾國荃，這下子抓到了一個大把柄。待丁守存走後，叔侄倆計議半天，決定先不作聲，派人分頭搜集官文這些年在湖廣的劣跡，然後再重重地參他一本，以報今日之仇，以雪當年不救援三河之恨！

曾國荃的舉動瞞不了官文的耳目，他不敢明目張膽得罪這位殺人如麻的曾九帥，便使了一個法子，給皇上上了一個摺子，說鄂北捻情嚴重，請賞曾國荃以幫辦軍務的名義帶兵離開武昌，駐紮襄陽。諭旨很快下來，如官文所請。

曾國荃過去一直帶兵在前線打仗，對官場了無所知，又不熟悉本朝掌故，不知幫辦軍務一銜究竟有多大，應不應該專摺謝恩。於是寫信給大哥，曾國藩來信告訴九弟。不必疏謝。又解釋說，近年如李世忠、陳國瑞等降將皆得幫辦，劉典以臬司、吳棠以道員亦得之，本屬極不足珍之目，本朝以來亦無此等名目，以後公牘上都不要署此銜。曾國荃接到大哥這封信，猶如一點火星掉進油鍋，立即燃起了熊熊怒火。他恨官文不但要把他排擠出武昌，並且把他列爲道員、降將一類人來奚落。他氣得一劍砍掉了書案一角，高叫：「我堂堂炎黃子孫，豈能仰鼻息於傀儡膻腥之輩！」

嚇得曾紀澤忙說：「九叔，隔牆有耳！」

「怕什麼！」曾國荃怒斥侄兒，「老子早就想和他們幹一場了。你給九叔我草擬一篇參摺，也讓他們知道曾九爺是不好欺侮的！」

曾紀澤的文章做得好，在父親的指導下，也意識地讀過不少名奏章，但自己獨立擬稿，這還是第一次。他關起門來咬了幾天筆桿子，冥思苦想，寫了一篇近三千字的長奏，列舉了官文幾大罪狀：貪庸驕蹇，欺罔徇私、寵任家丁、貽誤軍政，籠絡軍機、肅黨遺孽。最後這一條雖證據不充分，但性質嚴重，便也加上去了。曾紀澤寫好後，自己覺得有點惴惴不安，拿給九叔看。曾國荃卻非常滿意：「寫得好！看來你這幾年在父親身邊長進不小。就這樣吧，叫文案房安排膽抄，明日拜發。」

「九叔，官文是太后、皇上的親信，且官居大學士，非一般人可比。爲愼重起見，先抄一份送到濟寧州，讓父親看看後再拜發如何？」

「你父親自從咸豐八年復出後，膽子是越來越小，顧慮則越來越多，事事謹愼，處處小心。這篇奏疏如給他知道，那一定發不出去，不如不告訴他，今後即使有麻煩事，也省得牽連到他的頭上，由我一人負責算了。」

奏疏拜發了。曾紀澤仍不放心，他自已謄抄一份，派人送往濟寧州。

曾國荃這份彈劾大學士的奏章，立即在朝廷和各省督撫中引起軒然大波。官文做官的訣竅，除先前彭玉麟所指出的不管實事外，還有一個，那便是善於籠絡京官。京官地位重要，但俸祿並不高，因無地方實權，額外收入很少，全靠地方大員接濟。官文自咸豐五年出任湖廣總督以來，就十分重視對京官的聯絡。每年入夏的冰敬，入冬的炭敬，比哪省督撫都要豐盛，而且送的面廣，上上下下都滿意；遇到端陽、中秋、重陽、年關這些佳節，他則有選擇地分送各部要津。朝廷派下的大小欽差來到武昌，他的禮數最周，招待最好。官文哪來的這多錢？還不是兩廣的民脂民膏！所以盡管民怨沸騰，官文的位子卻是鐵打的，湖督一席，一坐便是十三年。

曾國荃拚死拚活打下金陵，只掙個伯爵，他在武昌悠閒自在，也得了個果威伯的美名。這便是官文的本事！

朝廷各部對曾國荃一到武昌，便參劾總督的行爲普遍不滿，尤以軍機處爲甚，因爲奏摺中有「軍機處故意與鄂撫爲難，凡有寄諭，從不逕寄，而由督署轉遞」的字樣，觸到了軍機處的痛處。軍機大臣胡家玉面稟太后，說曾國荃將軍事失利的責任推給官文，居心不良，所奏情事多有不合，宜駁回。慈禧太后命兵部派員到武昌密查核實。

濟寧州裏，曾國藩接到曾紀澤的稟帖，將奏疏仔仔細細地讀了一遍。老九的使氣任性，辦事孟浪，使他深爲痛心。他頓足嘆息，預感此事將招致嚴重的後果。必須給老九明確地指出：不能走得太遠！他提筆作函：

> 官秀峯一事業已奏出，但望內召不甚著跡，替換者不甚掣肘，即爲至幸。弟謂命運作主，余素所深信；謂自强者每勝一籌，則余不甚深信。凡國之强，必須多得賢臣工；家之强，必須多出賢子弟；一身之强，當效曾、孟修身之法與孔子告仲由之强，可久可常。此外鬥智鬥力之强，則有强而大興，亦有因强而大敗。吾輩在自修處求强則可，在勝人處求强則不可。

又給紀澤寫了一封信，嚴責兒子不但不去勸止九叔，反而擬此言辭尖刻的奏疏，爲之推波助瀾，太不懂事了。

剛好這時李鴻章來徐州視察軍務，曾國藩打發趙烈文到徐州去跟李鴻章商量。李鴻章一聽，也覺得老九太莽撞了。他沉思良久，對趙烈文說：「現在只有一個辦法，由恩師出面打圓場，密保官秀峯，並以兄長的身分批評九帥作事草率，盡量把事情化小。不知恩師意下如何。」

趙烈文回濟寧後，向曾國藩轉述了李鴻章的主意，並認爲這是個可行的辦法。曾國藩從心裏來說並不願意這樣抑荃揚官，但考慮到老九非官文的對手，倘若官司打敗，調離湖北，新湘軍便不再存在，全盤計劃將會打亂。爲了河防之策的順利執行，從剿捻大局出發，只得出此下策。幾天後，一封密保官文的奏摺由濟寧州發出了。

接到大哥的信後，曾國荃的頭腦開始冷靜了點，原擬的第二份參摺暫時擱下未發。曾紀澤則遵父命離開武昌南下，跳出這個是非圈子。

不久，來武昌調查督撫糾紛的欽差回到京師，將曾國荃所列官文各條一一駁回。都察院的御史上書，奏官文爲肅黨餘孽事既不成立，曾國荃則爲誣陷，例應反坐。其他各省督撫中也有人上奏，說曾國荃恃功傲物，打仗失敗，應予懲治。慈禧太后對此事頗感爲難。她既需要官文這樣忠實的家奴，也需要曾國荃這樣能鬥的鷹犬。眼下捻軍勢力强大，國事未安，曾氏兄弟和湘淮軍是她依賴的柱石。但官文無過受辱，朝野物議甚烈，不壓一壓曾國荃也難平衆怒。她想給曾國荃一個「降二級處分」，就猶如當年曾國藩爲楊健請入鄉賢祠所得的結果一樣。

這時，接替楊岳斌任陝甘總督的左宗棠，給朝廷來了一份詞氣亢厲的奏摺，稱讚曾國荃劾官文一疏，是當今天下第一篇好文章，第一等好事，人心大快，正氣大張，並以自己在湖南撫幕多年的身分爲證，指責官文貪劣庸碌，不堪封疆重寄，請求太后、皇上撤官文之職，以昭朝廷公正之心。左宗棠正處在平回民之亂的前線，他這封奏摺的分量，遠勝他省督撫和都察院的御史。曾國藩密保官文的奏摺此時也到了慈禧的手中。慈禧是個精明的人，她深知曾國藩不早不遲，恰好這時來封保官的摺子，無疑是在爲弟弟彌縫，希望這件事不要水火不容地鬧下去。曾國藩的這個態度很使慈禧欣慰。她想：倘若曾國藩和弟弟站在一邊，堅決與官文爲敵，那就更麻煩了；曾國藩的面子還是要給的。慈禧決定按督撫不合的處置成例來個和稀泥。於是將官文內調京師，以大學士掌管刑部，兼正白旗蒙古都統，調李鴻章爲湖廣總督。因蘇撫一職暫不能離開，遂調湖南巡撫李瀚章暫署湖督，由劉昆接替李瀚章。對曾國荃則未加任何指責。一場大風波就這樣平息了。

正當曾國藩爲九弟平安度過險境，湖督一職落入湘淮軍手中而欣喜的時候，賴文光、張宗禹趁著清廷官場這場內耗的大好時機，在禹州大敗郭松林部，然後揮師北上，率領五萬鐵騎，輕而易舉地突破由豫軍守衛的朱仙鎮至開封府一帶的防線，晝夜急馳，挺進魯西。苦心經營半年之久的河防大計，一夜之間便付之東流。消息傳來，曾國藩在濟寧州一病不起。

八 若許當初親騎射，河淮處處是高樓

新湘軍的再次大敗和河防之策的徹底破產，給官文抓到了報復的把柄。官文現在處於極爲有利的形勢：京師本來就有一大批曾氏兄弟的反對派，他們之中一部分出於正統觀念，認爲一家兄弟兩人手握重兵，位居督撫，且功蓋天下，不是國家之福，盡管有裁軍自抑之舉，仍是隱患。這中間有滿人、蒙人，也有不少漢人。一部分是嫉妒眼紅。這中間多爲滿蒙親貴，自己無能，卻又不讓別人發揮才幹，便以漢人宜防的祖訓，不斷地提醒規勸太后、皇上。現在曾氏兄弟軍事失敗了，這兩部分人自覺地結合起來，要求朝廷趁機制裁他們一下，以示天威而杜異心。官文本人位高權重，錢多勢大，他並不買曾國藩密保的帳，指使、收買一批言官上書彈劾，要求朝廷收回欽差大臣之命，罷曾國藩的兩江總督之職。就這樣，短短的半個月內，曾國藩一連接到軍機處寄來的兩道嚴責上諭和御史穆輯香阿、阿凌阿等五人措詞強硬的參劾抄件，面臨

著帶兵十多年以來，直接針對他而來的最險惡的政治形勢。五十六歲的曾國藩，在經歷過一番極度的痛苦之後，頭腦異乎尋常地冷靜下來。

他反覆對河防之策進行自我檢討，又重新翻閱《明史》，細心研究明末官軍對付高迎祥李自成的辦法。高李的部隊是繼黃巢之後，最有成就的流動作戰的軍隊，明朝官軍將領們，包括能幹的楊嗣昌都無法對付，大明王朝最終就栽在李自成的手裏。這中間只有一個人最有本事，那就是孫傳庭，而孫傳庭的制勝之策便是圍堵。捻軍也是流寇，而自己所採取的沙河、賈魯池、淮河沿線包圍的戰略，與孫傳庭的辦法是一致的。曾國藩堅信河防之策是正確的，決不能因一次失利而予以否定。但現在朝野一片聒噪，似不給他以總結教訓再決勝負的機會。對於這個現象背後的一切，曾國藩洞若觀火。他不再像咸豐初年初出茅廬時的一味蠻幹，硬拚到底，也不再像打下金陵後成天如同履薄臨深，爲防功高震主而不顧一切地自我裁抑，他這次要跟朝廷軟頂一場。

曾國藩用的依然是老子以退爲進的辦法。他借病重難速痊爲由，上疏太后、皇上，請開協辦大學士、兩江總督之缺，並請另簡欽差大臣接辦軍務，自己以散員留營效力，不主調度。又附片奏河防之敗，剿捻無效，請將一等毅勇侯封爵註銷，以明自貶之義。

奏疏擬好後，趙烈文、汪士鐸、薛福成等人都勸他不必如此。擔心朝廷會像咸豐八年那樣順水推舟，全部接受。曾國藩執意拜發。他並非意氣用事，他有自己的深沉思考。

捻軍勢力仍很強大，一日不平息，太后、皇上就一日不會安寧。自從僧格林沁死後，綠營、旗兵再沒有一支部隊可以獨任此事，平捻，非湘淮軍莫屬。淮軍五萬精兵，天下無出其右，湘軍陸師力量雖弱些，而二萬長江水師卻仍是一支強大的力量。所有這些軍事力量，其實就是他和李鴻章的私家武裝。因此，朝廷目前要完全拋開他是不可能的。就是起用李鴻章爲欽差大臣，湘軍水陸兩支人馬也不會服服貼貼聽李鴻章的話，還得他點頭才是。這便是曾國藩對自己力量的信心所在。即使退一萬步講，朝廷絕情絕義，不顧後果將他開缺，他也不再留戀，立即挈眷回荷葉塘。他甚至後悔，早知有今日，不如當初打下金陵就與老九一起辭官回家爲好。

中國封建社會最後一位女主，畢竟不是等閒之輩。她主持朝政已逾六年，比起「叔嫂合謀」的三年前來，顯然要成熟多了。她曾經下過大力氣對朝中的大學士、六部尚書侍郎、軍機大臣，以及各省的督撫一個個地作過深入的研究。其中，對曾國藩所下的功夫最多。自道光十八年點翰林以來，三十年間曾國藩每年做的事情及年終考評密語，宮中都完整地保存著。慈禧全部調來審閱。再加上這幾年的直接交道，盡管從來沒有見過面，關於這個爲保衛她兒子的江山，立下了汗馬功勞的書生出身的漢大臣的一切長處短處，心性品行，她已有了一個基本認識。她知道，曾國藩要求開缺江督、註銷侯爵云云，都不過是對朝廷的批評和御史的參劾表示不滿而已。在慈禧的心目中，這個年老的湘軍統帥和他所統轄的湘軍一樣，已經暮氣深重，不能再留在前線了，希望只能寄託在年富力强的李鴻章和方興未艾的淮軍身上。按慈禧的意思，軍機處擬了一道上諭：

年餘以來，曾國藩所派將領馳驅東、豫、楚、皖等省，不遺餘力，殲賊亦頗不少，雖未能遽藏全功，亦非貽誤軍情者可比。御史穆輯香阿等人之疏著毋庸議。曾國藩著回兩江總督本位。湖廣總督、暫署兩江總督李鴻章著授爲欽差大臣，專辦剿捻事宜。朝廷賞功之典具有權衡，該大臣援古人自貶之義，請暫註銷侯爵，著無庸議。

上諭到了曾國藩手裏，他心中甚爲不快。太后、皇上雖作安撫，實際上仍認爲他剿捻無能，逼令他離開前線。他不服氣，又上一摺：

欽差大臣關防已賫送徐州交李鴻章祗領。欽奉諭旨，飭臣回本位。臣自度病體不能勝兩江總督之任，若離營回署，又恐不免畏難取巧之譏。請仍在軍營照料一切，維繫湘淮軍心，庶不乖古人盡瘁之義。

爲表示自己的決心，曾國藩將朝廷頒發的兩江總督和一等毅勇侯兩顆銅印封起來，另刻木質關防一顆：「協辦大學士兩江總督一等侯行營關防」。並將此事附片上奏。

慈禧太后看完這道奏摺後微微一笑，命軍機處再擬旨：

曾國藩請以散員仍在軍營自效之處，具征奮勉圖功，不避艱險之意。惟兩江總督責任綦重，湘淮軍餉，尤須曾國藩籌辦接濟，與前敵督軍同爲朝廷倚賴。該督忠勤素著，且系朝廷特簡，正不必以避勞就逸爲嫌，致多顧慮。

這道上諭，肯定了他的功績，表示了對他的倚重，曾國藩看後略覺心舒。但他意猶未足，於是三上奏摺，請開兩江總督、協辦大學士之缺。

十天後，上諭以日遞五百里的速度送到濟寧州曾國藩行營：

曾國藩當體仰朝廷之意，爲國分憂，豈可稍涉嫌慮，固執己見！著即懍遵前旨，克期回任，俾李鴻章專意剿賊，迅奏膚功。

顯明的，慈禧爲曾國藩三請開缺的舉動而憤怒了。雙方都未在原定的基調上後退一步。趙烈文、汪士鋒等人都來勸說，就此罷休算了。曾國藩也覺得騎虎難下。最後，他下了狠心，與其這樣以失敗之員重回江寧，赧顏見江東父老，不如乾脆讓她全部開缺，回荷葉塘做老農算了。辭職畢竟不是謀反，再有人從中挑唆、搬弄，也不至於到達殺頭滅門前功盡毀的地步；只要不到這一步，他就不怕。正擬第四次再辭江督時，內閣又遞來一道上諭：「曾國藩著補授大學士，仍留兩江總督之任。」

慈禧太后終於讓步了，曾國藩也就不再固請了。他收拾行李，帶著幕僚們打馬重回江寧。一路上心事重重，很少說話。在徐州城外，路過有名的折柳長亭時，曾國藩在轎中隱隱見長亭粉壁上題滿了詩，打頭的一行字大些，寫的像是「中興將帥詠」幾個字，他吩咐停轎。

曾國藩走出轎步入亭中，抬頭細看，粉壁上寫的是十首七絕，總題叫「中興將帥咏」，每首詠的是一個帶兵將領。他一首首看著，前八首像是詠的賽尚阿、吳文鎔、江忠源、何桂清、胡林翼、勝保、僧格林沁，看到第九首時，他的心跳了起來，那詩寫道：

古今無兩慶封侯，北進惜乎無善謀。

若許當初親騎射，河淮處處是高樓（高樓，指山東曹州高樓寨。僧格林沁被捻軍斬首於此。）

這不正是詠的他自己嗎？曾國藩滿面羞慚。薛福成吩咐親兵：「村俚野語，無禮之甚，還不趕快塗掉它！」

「讓它留著吧，也好作面鏡子照照。」曾國藩有氣無力地揮了揮手，蹣跚地走進綠呢大橋。

正在這時，前來徐州接欽差大臣關防的李鴻章帶著一班文武大員親到城外郊邊，將曾國藩一行前呼後擁地迎進知府衙門。李鴻章恭恭敬敬地向恩師請教治捻之策，曾國藩撫鬚沈思良久，什麼話也沒說。李鴻章再三懇求，他仍隻字不言，只揮筆在紙上寫了幾個字。李鴻章接過看時，紙上寫的是：「捻亂止於河防。」

望著恩師堅毅的面孔，李鴻章重重地點了一下頭，將這張紙細心折好，放進衣袖裏。

曾國藩

MEMO

曾國藩

MEMO

曾國藩

MEMO

國家預行編目

曾國藩黑雨／唐浩明著.--初版.--臺北縣中和市：
漢湘文化, 1993〔民 82〕
面；　公分.--（歷史經典；7-9）
ISBN　957-8753-15-2　（平裝）
857.7　　　　82002749

歷史經典七

曾國藩黑雨・卷一（全書三卷——血祭、野焚、黑雨）

發行人／胡明威
作　者／唐浩明
執行編輯／巫曉維
企劃印務／范揚松
行政祕書／余綺華　高伊姿
出版者／漢湘文化事業股份有限公司
台北縣中和市中山路二段三五〇號五樓
電話（02）22452239　傳真（02）22459154
E-mail:hanshian@mail.book4u.com.tw
郵撥帳號／1697754-9
户　名／漢湘文化事業股份有限公司
電腦排版／陽明電腦排版公司
內文製版／俊昇印製事業股份有限公司
內文印刷／全力印刷有限公司
裝　訂／吉翔裝訂印刷有限公司
電話（02）2962-7511
登記證／文聞・蔡兆誠・黃福雄・王玉楚律師
1993年9月初版一刷　2001年8月初版六刷
單本定價160元　套裝九本特價1,250元
本書透過中國湘普信息公司獲得國際中文繁體字版權

線上總代理◆華文網股份有限公司
網　址◆http://www.book4u.com.tw
〔紙本書平台〕華文網網路書店
〔電子書平台〕Online Books 電子書中心　華文電子書中心
香港總經銷◆漢鴻圖書有限公司
香港九龍塘觀開源道55號開聯工業中心A座1226
電話：002-852-2343-8466　傳真：002-852-2343-8440

總經銷　　地址：台北縣中和市中山路二段352號2F
旭昇圖書有限公司　　電話：（02）2245-1480　傳真（02）2245-1479

廣　告　回　信
北區郵政管理局登記證 北　台　字6571號
免　貼　郵　票

漢湘文化事業股份有限公司

地址：台北縣中和市中山路二段350號5樓
電話：（02）2245-2239
傳真：（02）2245-9154

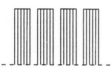

姓名：________
性別：____男____女
生日：____年____月____日
電話：(　)________
傳真：(　)________
地址：________________

請沿虛線剪下裝訂，謝謝！

讀者服務卡

謝謝您購買這本書。
爲加強對讀者的服務，請您詳細塡寫本卡各欄，寄回給我們（免貼郵票），您即可收到本公司的出版訊息。

您購買的書名/ ______

購買地點/ ______ 縣市 ______ 書店

教育程度/□高中以下（含高中） □大專 □大學 □研究所（含以上）

職　　業/ ______ 職位別/ ______

您目前迫切需要哪方面的知識？ ______

您覺得本書封面及內文美工設計/

□很好 □好 □差 □很差

您對書籍的寫作是否有興趣？

□沒有 □有（我們會盡快與您聯絡）

100字書評（請寫下您閱讀本書的心得及感想）

其他建議（請列出本書的錯別字，當另外致贈精美禮品）：

請沿虛線剪下後對折裝訂寄回，謝謝！

漢湘文化
閱讀新視界・生活新主張

漢湘文化
閱讀新視界・生活新主張

漢湘文化
閱讀新視界・生活新主張